D0610150

Albert Camus

Chroniques algériennes

1939-1958

Actuelles III

Gallimard

Ce volume était déjà composé et sur le point de paraître lorsque les événements du 13 mai ont éclaté*. Après réflexion, il m'a paru que sa publication restait souhaitable, qu'il constituait même un commentaire direct de ces événements et que, dans la confusion actuelle, la position et les solutions de synthèse qui sont ici définies devaient l'être plus que jamais. De vastes changements s'opèrent dans les esprits en Algérie et ces changements autorisent de grandes espérances en même temps que des craintes. Mais les faits, eux, n'ont pas changé et, demain, il faudra encore en tenir compte pour déboucher sur le seul avenir acceptable : celui où la France, appuyée inconditionnellement sur ses libertés, saura rendre justice, sans discrimination, ni dans un sens ni dans l'autre, à toutes les communautés de l'Algérie. Aujourd'hui, comme hier, ma seule ambition, en publiant ce libre témoignage, est de contribuer, selon mes moyens, à la définition de cet avenir.

* Événements insurrectionnels en Algérie qui débouchèrent sur le retour du général de Gaulle au pouvoir *(N.d.É.)*.

AVANT-PROPOS

On trouvera dans ce recueil un choix d'articles et de textes qui tous concernent l'Algérie. Ils s'échelonnent sur une période de vingt ans, depuis l'année 1939, où presque personne en France ne s'intéressait à ce pays, jusqu'à 1958, où tout le monde en parle. Pour contenir ces articles, un volume n'aurait pas suffi. Il a fallu éliminer les répétitions et les commentaires trop généraux, retenir surtout les faits, les chiffres et les suggestions qui risquent d'être encore utiles. Tels quels, ces textes résument la position d'un homme qui, placé très jeune devant la misère algérienne, a multiplié vainement les avertissements et qui, conscient depuis longtemps des responsabilités de son pays, ne peut approuver une politique de conservation ou d'oppression en Algérie. Mais, averti depuis longtemps des réalités algériennes, je ne puis non plus approuver une politique de démission qui abandonnerait le peuple arabe à une plus grande misère, arracherait de ses racines séculaires le peuple français d'Algérie et favoriserait seulement, sans profit pour personne, le nouvel impérialisme qui menace la liberté de la France et de l'Occident.

Une telle position ne satisfait personne, aujourd'hui, et je sais d'avance l'accueil qui lui sera fait des deux côtés. Je le regrette sincèrement, mais je ne puis forcer ce que je sens et ce que je crois. Du reste, personne, sur ce sujet, ne me satisfait non plus. C'est pourquoi, dans l'impossibilité de me joindre à aucun des camps extrêmes, devant la disparition progressive de ce troisième camp où l'on pouvait encore garder la tête froide, doutant aussi de mes certitudes et de mes connaissances, persuadé enfin que la véritable cause de nos folies réside dans les mœurs et le fonctionnement de notre société intellectuelle et politique, j'ai décidé de ne plus participer aux incessantes polémiques qui n'ont eu d'autre effet que de durcir en Algérie les intransigeances aux prises et de diviser un peu plus une France déjà empoisonnée par les haines et les sectes.

Il y a en effet une méchanceté française à laquelle je ne veux rien ajouter. Je sais trop le prix qu'elle nous a coûté et nous coûte. Depuis vingt ans, particulièrement, on déteste à ce point, chez nous, l'adversaire politique qu'on finit par tout lui préférer, et jusqu'à la dictature étrangère. Les Français ne se lassent pas apparemment de ces jeux mortels. Ils sont bien ce peuple singulier qui, selon Custine, se peindrait en laid plutôt que de se laisser oublier. Mais si leur pays disparaissait, il serait oublié, de quelque façon qu'on l'ait maquillé et, dans une nation asservie, nous n'aurions même plus la liberté de nous insulter. En attendant que ces vérités soient reconnues, il faut se résigner à ne plus témoigner que personnellement, avec les précautions nécessaires. Et, personnellement, je ne m'intéresse plus qu'aux actions qui peuvent, ici et maintenant, épargner du sang inutile, et aux solutions qui préservent l'avenir d'une terre dont le malheur pèse trop sur moi pour que je puisse songer à en parler pour la galerie.

D'autres raisons encore m'éloignent de ces jeux publics. Il me manque d'abord cette assurance qui permet de tout trancher. Sur ce point, le terrorisme, tel qu'il est pratiqué en Algérie, a beaucoup influencé mon attitude. Quand le destin des hommes et des femmes de son propre sang se trouve lié, directement ou non, à ces articles qu'on écrit si facilement dans le confort du bureau, on a le devoir d'hésiter et de peser le pour et le contre. Pour moi, si je reste sensible au risque où je suis, critiquant les développements de la rébellion, de donner une mortelle bonne conscience aux plus anciens et aux plus insolents responsables du drame algérien, je ne cesse pas de craindre, en faisant état des longues erreurs françaises, de donner un alibi, sans aucun risque pour moi, au fou criminel qui jettera sa bombe sur une foule innocente où se trouvent les miens. Je me suis borné à reconnaître cette évidence, et rien de plus, dans une récente déclaration qui a été curieusement commentée. Pourtant, ceux qui ne connaissent pas la situation dont je parle peuvent difficilement en juger. Mais ceux qui, la connaissant, continuent de penser héroïquement que le frère doit périr plutôt que les principes, je me bornerai à les admirer de loin. Je ne suis pas de leur race.

Cela ne veut pas dire que les principes n'ont pas de sens. La lutte des idées est possible, même les armes à la main, et il est juste de savoir reconnaître les raisons de l'adversaire avant même de se défendre contre lui. Mais, dans tous les camps, la terreur change, pour le temps où elle dure, l'ordre des termes. Quand sa propre famille est en péril immédiat de mort, on peut vouloir la rendre plus généreuse et plus juste, on doit même continuer à le faire, comme ce livre en témoigne, mais (qu'on ne s'y trompe pas !) sans manquer à la solidarité qu'on lui doit dans ce danger mortel, pour qu'elle survive au moins et qu'en vivant, elle retrouve alors la chance d'être juste. À mes yeux, c'est cela l'honneur, et la vraie justice, ou

bien je reconnais ne plus rien savoir d'utile en
ce monde.

À partir de cette position seulement, on a le
droit, et le devoir, de dire que la lutte armée et
la répression ont pris, de notre côté, des aspects
inacceptables. Les représailles contre les populations civiles et les pratiques de torture sont
des crimes dont nous sommes tous solidaires.
Que ces faits aient pu se produire parmi nous,
c'est une humiliation à quoi il faudra désormais
faire face. En attendant, nous devons du moins
refuser toute justification, fut-ce par l'efficacité,
à ces méthodes. Dès l'instant, en effet, où,
même indirectement, on les justifie, il n'y a plus
de règle ni de valeur, toutes les causes se valent
et la guerre sans buts ni lois consacre le triom-
phe du nihilisme. Bon gré, mal gré, nous re-
tournons alors à la jungle où le seul principe est
la violence. Ceux qui ne veulent plus entendre
parler de morale devraient comprendre en tout
cas que, même pour gagner les guerres, il vaut
mieux souffrir certaines injustices que les com-
mettre, et que de pareilles entreprises nous font
plus de mal que cent maquis ennemis. Lorsque
ces pratiques s'appliquent, par exemple à ceux
qui, en Algérie, n'hésitent pas à massacrer l'innocent ni, en d'autres lieux, à torturer ou à excuser que l'on torture, ne sont-elles pas aussi
des fautes incalculables puisqu'elles risquent de
justifier les crimes mêmes que l'on veut com-

battre ? Et quelle est cette efficacité qui parvient à justifier ce qu'il y a de plus injustifiable chez l'adversaire ? À cet égard, on doit aborder de front l'argument majeur de ceux qui ont pris leur parti de la torture : celle-ci a peut-être permis de retrouver trente bombes, au prix d'un certain honneur, mais elle a suscité du même coup cinquante terroristes nouveaux qui, opérant autrement et ailleurs, feront mourir plus d'innocents encore. Même acceptée au nom du réalisme et de l'efficacité, la déchéance ici ne sert à rien, qu'à accabler notre pays à ses propres yeux et à ceux de l'étranger. Finalement, ces beaux exploits préparent infailliblement la démoralisation de la France et l'abandon de l'Algérie. Ce ne sont pas des méthodes de censure, honteuses ou cyniques, mais toujours stupides, qui changeront quelque chose à ces vérités. Le devoir du gouvernement n'est pas de supprimer les protestations même intéressées, contre les excès criminels de la répression ; il est de supprimer ces excès et de les condamner publiquement, pour éviter que chaque citoyen se sente responsable personnellement des exploits de quelques-uns et donc contraint de les dénoncer ou de les assumer.

Mais, pour être utile autant qu'équitable, nous devons condamner avec la même force, et sans précautions de langage, le terrorisme appliqué par le F.L.N. aux civils français comme, d'ailleurs, et dans une proportion plus grande, aux civils arabes. Ce terrorisme est un crime, qu'on ne peut ni excuser ni laisser se développer. Sous la forme où il est pratiqué, aucun mouvement révolutionnaire ne l'a jamais admis et les terroristes russes de 1905, par exemple, seraient morts (ils en ont donné la preuve) plutôt que de s'y abaisser. On ne saurait transformer ici la reconnaissance des injustices subies par le peuple arabe en indulgence systématique à l'égard de ceux qui assassinent indistinctement civils arabes et civils français sans considération d'âge ni de sexe. Après tout, Gandhi a prouvé qu'on pouvait lutter pour son peuple, et vaincre, sans cesser un seul jour de rester estimable. Quelle que soit la cause que l'on défend, elle restera toujours déshonorée par le massacre aveugle d'une foule innocente où le tueur sait d'avance qu'il atteindra la femme et l'enfant.

Je n'ai jamais cessé de dire, on le verra dans ce livre, que ces deux condamnations ne pouvaient se séparer, si l'on voulait être efficace. C'est pourquoi il m'a paru à la fois indécent et nuisible de crier contre les tortures en même temps que ceux qui ont très bien digéré Melouza ou la mutilation des enfants européens. Comme il m'a paru nuisible et indécent d'aller condamner le terrorisme aux côtés de ceux qui trouvent la torture légère à porter. La vérité, hélas, c'est qu'une partie de notre opinion pense obscurément que les Arabes ont acquis le droit, d'une certaine manière, d'égorger et de mutiler tandis qu'une autre partie accepte de légitimer, d'une certaine manière, tous les excès. Chacun, pour se justifier, s'appuie alors sur le crime de l'autre. Il y a là une casuistique du sang où un intellectuel, me semble-t-il, n'a que faire, à moins de prendre les armes lui-même. Lorsque la violence répond à la violence dans un délire qui s'exaspère et rend impossible le simple langage de raison, le rôle des intellectuels ne peut être, comme on le lit tous les jours, d'excuser de loin l'une des violences et de condamner l'autre, ce qui a pour double effet d'indigner jusqu'à la fureur le violent condamné et d'encourager à plus de violence le violent innocenté. S'ils ne rejoignent pas les combattants eux-mêmes, leur rôle (plus obscur, à coup sûr !) doit être seulement de travailler dans le sens de l'apaisement pour que la raison retrouve ses chances. Une droite perspicace, sans rien céder sur ses convictions, eût ainsi essayé de persuader les siens, en Algérie, et au gouvernement, de la nécessité de réformes profondes et du caractère déshonorant de certains procédés. Une gauche intelligente, sans rien céder sur ses principes, eût de même essayé de persuader le mouvement arabe que certaines méthodes étaient ignobles en elles-mêmes.

Mais non. À droite, on a, le plus souvent, enté-
riné, au nom de l'honneur français, ce qui était
le plus contraire à cet honneur. À gauche, on a
le plus souvent, et au nom de la justice, excusé
ce qui était une insulte à toute vraie justice. La
droite a laissé ainsi l'exclusivité du réflexe mo-
ral à la gauche qui lui a cédé l'exclusivité du
réflexe patriotique. Le pays a souffert deux
fois. Il aurait eu besoin de moralistes moins
joyeusement résignés au malheur de leur patrie
et de patriotes qui consentissent moins facilement à ce que des tortionnaires prétendent agir
au nom de la France. Il semble que la métropole n'ait point su trouver d'autres politiques
que celles qui consistaient à dire aux Français
d'Algérie : « Crevez, vous l'avez bien mérité »,
ou : « Crevez-les. Ils l'ont bien mérité. » Cela
fait deux politiques différentes, et une seule démission, là où il ne s'agit pas de crever séparé-
ment, mais de vivre ensemble.

Ceux que j'irriterai en écrivant cela, je leur
demande seulement de réfléchir quelques ins-
tants, à l'écart des réflexes idéologiques. Les
uns veulent que leur pays s'identifie totalement
à la justice et ils ont raison. Mais peut-on rester
justes et libres dans une nation morte ou asservie ? Et l'absolue pureté ne coïncide-t-elle pas,
pour une nation, avec la mort historique ? Les
autres veulent que le corps même de leur pays
soit défendu contre l'univers entier s'il le faut.

et ils n'ont pas tort. Mais peut-on survivre comme peuple sans rendre justice, dans une mesure raisonnable, à d'autres peuples ? La France meurt de ne pas savoir résoudre ce dilemme. Les premiers veulent l'universel au détriment du particulier. Les autres le particulier au détriment de l'universel. Mais les deux vont ensemble. Pour trouver la société humaine, il faut passer par la société nationale. Pour préserver la société nationale, il faut l'ouvrir sur une perspective universelle. Plus précisément, si l'on veut que la France seule règne en Algérie sur huit millions de muets, elle y mourra. Si l'on veut que l'Algérie se sépare de la France, les deux périront d'une certaine manière. Si, au contraire, en Algérie, le peuple français et le peuple arabe unissent leurs différences, l'avenir aura un sens pour les Français, les Arabes et le monde entier.

Mais, pour cela, il faut cesser de considérer en bloc les Arabes d'Algérie comme un peuple de massacreurs. La grande masse d'entre eux, exposée à tous les coups, souffre d'une douleur que personne n'exprime pour elle. Des millions d'hommes, affolés de misère et de peur, se terrent pour qui ni Le Caire ni Alger ne parlent jamais. J'ai essayé, depuis longtemps, on le verra, de faire connaître au moins leur misère et l'on me reprochera sans doute mes sombres descriptions. J'ai écrit pourtant ces plaidoyers pour la misère arabe quand il était temps encore d'agir, à l'heure où la France était forte, et où se taisaient ceux qui aujourd'hui trouvent plus facile d'accabler sans relâche, et même à l'étranger, leur pays affaibli. Si, il y a vingt ans, ma voix avait été mieux entendue, il y aurait peut-être moins de sang présentement. Le malheur (et je l'éprouve comme un malheur) est que les événements m'ont donné raison. Aujourd'hui, la pauvreté des paysans algériens risque de s'accroître démesurément au rythme d'une démographie foudroyante. De surcroît, coincés entre les combattants, ils souffrent de la peur : eux aussi, eux surtout ont besoin de paix ! C'est à eux et aux miens que je continue de penser en écrivant le mot d'Algérie et en plaidant pour la réconciliation. C'est à eux, en tout cas, qu'il faudrait donner enfin une voix et un avenir libéré de la peur et de la faim.

Mais, pour cela, il faut cesser aussi de porter condamnation en bloc sur les Français d'Algérie. Une certaine opinion métropolitaine, qui ne se lasse pas de les haïr, doit être rappelée à la décence. Quand un partisan français du F.L.N. ose écrire que les Français d'Algérie ont toujours considéré la France comme une prostituée à exploiter, il faut rappeler à cet irresponsable qu'il parle d'hommes dont les grands-parents, par exemple, ont opté pour la France en 1871 et quitté leur terre d'Alsace pour l'Algé-

rie, dont les pères sont morts en masse dans
l'est de la France en 1914 et qui, eux-mêmes,
deux fois mobilisés dans la dernière guerre,
n'ont cessé, avec des centaines de milliers de
musulmans, de se battre sur tous les fronts pour
cette prostituée. Après cela, on peut sans doute
les juger naïfs, il est difficile de les traiter de
souteneurs. Je résume ici l'histoire des hommes
de ma famille qui, de surcroît, étant pauvres et
sans haine, n'ont jamais exploité ni opprimé
personne. Mais les trois quarts des Français
d'Algérie leur ressemblent et, à condition
qu'on les fournisse de raisons plutôt que d'insultes, seront prêts à admettre la nécessité d'un
ordre plus juste et plus libre. Il y a eu sans
doute des exploiteurs en Algérie, mais plutôt
moins qu'en métropole et le premier bénéfi-
ciaire du système colonial est la nation française tout entière. Si certains Français considè-
rent que, par ses entreprises coloniales, la
France (et elle seule, au milieu de nations sain-
tes et pures) est en état de péché historique, ils
n'ont pas à désigner les Français d'Algérie
comme victimes expiatoires (« Crevez, nous
l'avons bien mérité ! »), ils doivent s'offrir eux-
mêmes à l'expiation. En ce qui me concerne, il
me paraît dégoûtant de battre sa coulpe,
comme nos juges-pénitents, sur la poitrine
d'autrui, vain de condamner plusieurs siècles
d'expansion européenne, absurde de compren-

dre dans la même malédiction Christophe Colomb et Lyautey. Le temps des colonialismes est fini, il faut le savoir seulement et en tirer les conséquences. Et l'Occident qui, en dix ans, a donné l'autonomie à une douzaine de colonies mérite à cet égard plus de respect et, surtout, de patience, que la Russie qui, dans le même temps, a colonisé ou placé sous un protectorat implacable une douzaine de pays de grande et ancienne civilisation. Il est bon qu'une nation soit assez forte de tradition et d'honneur pour trouver le courage de dénoncer ses propres erreurs. Mais elle ne doit pas oublier les raisons qu'elle peut avoir encore de s'estimer elle-même. Il est dangereux en tout cas de lui demander de s'avouer seule coupable et de la vouer à une pénitence perpétuelle. Je crois en Algérie à une politique de réparation, non à une politique d'expiation. C'est en fonction de l'avenir qu'il faut poser les problèmes, sans remâcher interminablement les fautes du passé. Et il n'y aura pas d'avenir qui ne rende justice en même temps aux deux communautés d'Algérie.

Cet esprit d'équité, il est vrai, semble étranger à la réalité de notre histoire où les rapports de force définissent une autre sorte de justice ; dans notre société internationale, il n'est de bonne morale que nucléaire. Le seul coupable est alors le vaincu. On comprend que beaucoup d'intellectuels en aient conclu que les valeurs et les mots n'avaient d'autre contenu que celui que la force leur donnait. Et certains passent ainsi, sans transition, des discours sur les principes d'honneur ou de fraternité à l'adoration du fait accompli ou du parti le plus cruel. Je continue cependant de croire, à propos de l'Algérie comme du reste, que de pareils égarements, à droite comme à gauche, définissent seulement le nihilisme de notre époque. S'il est vrai qu'en histoire, du moins, les valeurs, qu'elles soient celles de la nation ou de l'humanité, ne survivent pas sans qu'on ait combattu pour elles, le combat (ni la force) ne suffit pas à les justifier. Il faut encore que lui-même soit justifié, et éclairé, par ces valeurs. Se battre pour sa vérité et veiller à ne pas la tuer des armes mêmes dont on la défend, à ce double prix les mots reprennent leur sens vivant. Sachant cela, le rôle de l'intellectuel est de discerner, selon ses moyens, dans chaque camp, les limites respectives de la force et de la justice. Il est donc d'éclairer les définitions pour désintoxiquer les esprits et apaiser les fanatismes, même à contre-courant.

Ce travail de désintoxication, je l'ai tenté selon mes moyens. Ses effets, reconnaissons-le, ont été nuls jusqu'ici : ce livre est aussi l'histoire d'un échec. Mais les simplifications de la haine et du parti pris, qui pourrissent et relan-

cent sans cesse le conflit algérien, il faudrait les
relever tous les jours et un homme n'y peut suffire. Il y faudrait un mouvement, une presse,
une action incessante. Car il faudrait aussi bien
relever, tous les jours, les mensonges et les
omissions qui obscurcissent le vrai problème.
Nos gouvernements déjà veulent faire la guerre
sans la nommer, avoir une politique indépendante et mendier l'argent de nos alliés, investir
en Algérie tout en protégeant le niveau de vie
de la métropole, être intransigeant en public et
négocier en coulisses, couvrir les bêtises de
leurs exécutants et les désavouer de bouche à
oreille. Mais nos partis ou nos sectes, qui criti-
quent le pouvoir, ne sont pas plus brillants.
Personne ne dit clairement ce qu'il veut, ou, le
disant, n'en tire les conséquences. Ceux qui
préconisent la solution militaire doivent savoir
qu'il ne s'agit de rien ou d'une reconquête par
les moyens de la guerre totale qui entraînera,
par exemple, la reconquête de la Tunisie contre
l'opinion, et peut-être les armes, d'une partie
du monde. C'est une politique sans doute, mais
il faut la voir et la présenter telle qu'elle est.
Ceux qui préconisent, en termes volontaire-
ment imprécis, la négociation avec le F.L.N. ne
peuvent plus ignorer, devant les précisions du
F.L.N., que cela signifie l'indépendance de l'Algérie dirigée par les chefs militaires les plus im-
placables de l'insurrection, c'est-à-dire l'évic-

tion de 1 200 000 Européens d'Algérie et l'humiliation de millions de Français avec les risques que cette humiliation comporte. C'est une politique, sans doute, mais il faut l'avouer pour ce qu'elle est, et cesser de la couvrir d'euphémismes.

La polémique constante qu'il faudrait mener à cet égard irait contre ses objectifs dans une société politique où la volonté de clairvoyance et l'indépendance intellectuelle se font de plus en plus rares. De cent articles, il ne reste que la déformation qu'en impose l'adversaire. Le livre du moins, s'il n'évite pas tous les malentendus, en rend quelques-uns impossibles. On peut s'y référer et il permet aussi de préciser avec plus de sérénité les nuances nécessaires. Ainsi, voulant répondre à tous ceux qui, de bonne foi, me demandent de faire connaître une fois de plus ma position, je n'ai pas pu le faire autrement qu'en résumant dans ce livre une expérience de vingt ans, qui peut renseigner des esprits non prévenus. Je dis bien une expérience, c'est-à-dire la longue confrontation d'un homme et d'une situation, – avec toutes les erreurs, les contradictions et les hésitations qu'une telle confrontation suppose et dont on trouvera maints exemples dans les pages qui suivent. Mon opinion, d'ailleurs, est qu'on attend trop d'un écrivain en ces matières. Même, et peut-être surtout, lorsque sa naissance et son cœur le vouent au destin d'une terre comme l'Algérie, il est vain de le croire détenteur d'une vérité révélée et son histoire personnelle, si elle pouvait être véridiquement écrite, ne serait que l'histoire de défaillances successives, surmontées et retrouvées. Sur ce point, je suis tout prêt à reconnaître mes insuffisances et les erreurs de jugement qu'on pourra relever dans ce volume. Mais j'ai cru possible au moins, et bien qu'il m'en coûte, de réunir les pièces de ce long dossier et de les livrer à la réflexion de ceux qui n'ont pas encore leur opinion faite. La détente psychologique qu'on peut sentir actuellement, entre Français et Arabes, en Algérie permet aussi d'espérer qu'un langage de raison risque à nouveau d'être entendu.

On trouvera donc dans ce livre une évocation (à l'occasion d'une crise très grave en Kabylie) des causes économiques du drame algérien, quelques repères pour l'évolution proprement politique de ce drame, des commentaires sur la complexité de la situation présente, la prédiction de l'impasse où nous a menés la relance du terrorisme et de la répression et, pour finir, une esquisse de la solution qui me paraît encore possible. Consacrant la fin du colonialisme, elle exclut les rêveries de reconquête ou de maintien du statu quo qui sont, en réalité, des réactions de faiblesse et d'humiliation et qui préparent le divorce définitif et le double malheur de la France et de l'Algérie. Mais elle exclut aussi les rêves d'un déracinement des Français d'Algérie qui, s'ils n'ont pas le droit d'opprimer personne, ont celui de ne pas être opprimés et de disposer d'eux-mêmes sur la terre de leur naissance. Pour rétablir la justice nécessaire, il est d'autres voies que de remplacer une injustice par une autre.

J'ai essayé, à cet égard, de définir clairement ma position. Une Algérie constituée par des peuplements fédérés, et reliée à la France, me paraît préférable, sans comparaison possible au regard de la simple justice, à une Algérie reliée à un empire d'Islam qui ne réaliserait à l'intention des peuples arabes qu'une addition de misères et de souffrances et qui arracherait le peuple français d'Algérie à sa patrie naturelle. Si l'Algérie que j'espère garde encore une chance de se faire (et elle garde, selon moi, plus d'une chance), je veux, de toutes mes forces, y aider. Je considère au contraire que je ne dois pas aider une seule seconde, et de quelque façon que ce soit, à la constitution de l'autre Algérie. Si elle se faisait, et nécessairement contre ou loin de la France, par la conjugaison des forces d'abandon et des forces de pure conservation, et par la double démission qu'elles entraînent, ce serait pour moi un immense malheur, dont il me faudrait, avec des millions d'autres Français, tirer les conséquences. Voilà,

loyalement, ce que je pense. Je peux me tromper ou juger mal d'un drame qui me touche de
trop près. Mais, au cas où s'évanouiraient les
espérances raisonnables qu'on peut aujourd'hui
concevoir, devant les événements graves qui
surgiraient alors et dont, qu'ils attentent à notre pays ou à l'humanité, nous serons tous responsables solidairement, chacun de nous doit
se porter témoin de ce qu'il a fait et de ce qu'il
a dit. Voici mon témoignage, auquel je n'ajouterai rien.

Mars-avril 1958.

MISÈRE
DE LA KABYLIE[1]

1. Au début de 1939, la Kabylie souffrit cruellement
d'une sorte de famine dont on verra les causes, et les
effets, dans les articles qui suivent. Envoyé en reportage par *Alger républicain*, quotidien qui, à l'époque,
groupait les socialistes et les radicaux, j'ai publié ces
articles du 5 au 15 juin 1939. Trop long et trop détaillé
pour être reproduit en entier, ce reportage est réim-
primé ici à l'exclusion de considérations trop générales
et des articles sur l'habitat, l'assistance, l'artisanat et
l'usure.

LE DÉNUEMENT

Avant d'entreprendre un tableau d'ensemble de la misère en Kabylie et avant de reparcourir cet itinéraire de la famine qu'il m'a été donné de faire pendant ces longs jours, je voudrais dire quelques mots sur les raisons économiques de cette misère. Elles tiennent en une ligne : la Kabylie est un pays surpeuplé et elle consomme plus qu'elle ne produit. Ces montagnes abritent dans leurs plis une population grouillante qui atteint, dans certaines communes comme celle du Djurdjura, une densité de 247 habitants au kilomètre carré. Aucun pays d'Europe ne présente ce pullulement. Et la densité moyenne de la France est de 71 habitants. D'autre part, le peuple kabyle consomme surtout des céréales, blé, orge, sorgho, sous forme de galette ou de couscous. Or, le sol kabyle ne produit pas de céréales. La production céréalière de la région atteint à peu près le huitième de sa consommation. Ce grain, si nécessaire à la vie, il faudrait l'acheter. Dans un pays où l'industrie est réduite à rien, cela ne se peut qu'en fournissant un excédent de productions agricoles complémentaires.

Or la Kabylie est surtout un pays arboricole. Les deux grandes productions sont la figue et l'olive. En bien des endroits, la figue suffit à peine à la consommation. Quant à l'olive, la récolte, selon les années, est déficitaire ou, au contraire, surabondante. Comment équilibrer avec l'actuelle production les besoins en grains de ce peuple affamé ?

L'Office du blé a revalorisé le prix de cette céréale et il ne s'agit pas de s'en plaindre. Mais ni la figue, ni l'olive n'ont été revalorisées. Et le Kabyle, consommateur de blé, paye à sa terre magnifique et ingrate le tribut de la faim.

À cette situation difficile, les Kabyles, comme toutes les nations pauvres et surpeuplées, ont obvié par l'émigration. La chose est bien connue. Je signalerai seulement qu'on peut évaluer le nombre des Kabyles exilés à 40 ou 50 000, qu'en période de prospérité, en un mois, le seul arrondissement de Tizi-Ouzou a payé en mandats la somme énorme de 40 millions de francs, la commune de Fort-National près d'un million par jour. Cet afflux énorme de capitaux, produit du labeur kabyle, suffisait vers 1926 à balancer l'économie déficitaire de la Kabylie. On peut dire qu'à cette époque, le pays a connu la prospérité. Et les Kabyles avaient vaincu par leur ténacité et leur travail la pauvreté de leur pays.

Mais avec la crise économique, le marché du travail en France s'est restreint. On a refoulé l'ouvrier kabyle. On a mis des barrières à l'émigration et, en 1935, une série d'arrêtés vint compliquer de telle sorte les formalités d'entrée en France que le Kabyle s'est senti de plus en plus enfermé dans sa montagne. Cent soixante-cinq francs à verser pour frais de rapatriement, d'innombrables obstacles administratifs et l'obligation singulière de payer les impôts arriérés de tous les compatriotes de l'émigrant qui portent le même nom que lui : l'émigration s'est trouvée bloquée. Pour ne citer qu'un chiffre, la commune de Michelet paye en mandats le dixième seulement de ce qu'elle payait en période de prospérité.

C'est cette chute verticale qui a conduit le pays à la misère. Ce blé qu'il faut acheter au prix fort, le paysan kabyle ne peut l'acquérir avec la production qu'on lui enlève à bas prix. Il l'achetait auparavant, et se sauvait, par le travail de ses fils. On lui a ôté aussi le travail et il reste sans défense contre la faim. Le résultat, c'est ce que j'ai vu et que je voudrais décrire avec le minimum de mots pour qu'on sente bien la détresse et l'absurdité d'une pareille situation.

Un rapport officiel évalue à 40 % les familles kabyles qui vivent actuellement avec moins de 1 000 francs par an, c'est-à-dire (qu'on y réfléchisse bien), moins de 100 francs par mois. Ce même rapport évalue à 5 % seulement le nombre de familles qui vivent avec 500 francs par mois. Quand on saura que la famille kabyle compte toujours au moins cinq ou six membres, on aura une idée du dénuement indicible où vivent les paysans kabyles. Je crois pouvoir affirmer que 50 % au moins de la population se nourrissent d'herbes et de racines et attendent pour le reste la charité administrative sous forme de distribution de grains.

À Bordj-Menaïel, par exemple, sur 27 000 Kabyles que compte la commune, 10 000 vivent dans l'indigence, un millier seulement se nourrissent normalement. À la distribution de grains, organisée le jour où j'arrivais dans ce centre, j'ai vu près de 500 miséreux attendre patiemment leur tour de recevoir quelques litres de blé. C'est ce jour-là qu'on me fit voir la merveille de l'endroit : une vieille femme cassée en deux qui pesait 25 kilos. Chaque indigent recevait environ 10 kilos de blé. À Bordj-Menaïel, cette charité se renouvelait tous les mois, dans d'autres localités tous les trois mois. Or il faut à une famille de huit membres environ 120 kilos de blé pour assurer le pain seulement pendant un mois. On m'a affirmé que les indigents que j'ai vus faisaient durer leurs 10 kilos de grains pendant un mois et pour le reste se nourrissaient de racines et de tiges de chardon que les Kabyles, avec une ironie qu'on peut juger amère, appellent artichauts d'âne.

À Tizi-Ouzou, pour des distributions semblables, des femmes font 30 et 40 kilomètres pour venir chercher cette misérable subsistance. Il a fallu la charité d'un pasteur local pour donner un abri nocturne à ces malheureuses.

Et ce ne sont pas les seuls témoignages de cette affreuse misère. Le blé dans la « tribu » de Tizi-Ouzou, par exemple, est devenu un produit de luxe. Les meilleures familles mangent un mélange de blé et de sorgho. On est arrivé, pour les familles pauvres, à payer le gland, produit sauvage, jusqu'à 20 francs le quintal. Le menu ordinaire d'une famille pauvre dans cette tribu se compose d'une galette d'orge et d'une soupe faite de tiges de chardon et de racines de mauves. On ajoute à cette soupe un peu d'huile. Mais la récolte d'olives de l'an passé ayant été déficitaire, l'huile, cette année, a manqué. Ce menu se retrouve dans toute la Kabylie et il n'est pas un village qui fasse exception à la règle.

Par un petit matin, j'ai vu à Tizi-Ouzou des enfants en loques disputer à des chiens kabyles le contenu d'une poubelle. À mes questions, un Kabyle a répondu : « C'est tous les matins comme ça. » Un autre habitant m'a expliqué que l'hiver, dans le village, les habitants, mal nourris et mal couverts, ont inventé une méthode pour trouver le sommeil. Ils se mettent en cercle autour d'un feu de bois et se déplacent de temps en temps pour éviter l'ankylose. Et la nuit durant, dans le gourbi misérable, une ronde rampante de corps couchés se déroule sans arrêt. Ceci n'est sans doute pas suffisant puisque le Code forestier empêche ces malheureux de prendre le bois où il se trouve et qu'il n'est pas rare qu'ils se voient saisir leur seule richesse, l'âne croûteux et décharné qui servit à transporter les fagots. Les choses, dans la région de Tizi-Ouzou, sont d'ailleurs allées si loin qu'il a fallu que l'initiative privée s'en mêlât. Tous les mercredis, le sous-préfet, *à ses frais*, donne un repas à 50 petits Kabyles et les nourrit de bouillon et de pain. Après quoi, ils peuvent attendre la distribution de grains qui a lieu au bout d'un mois. Les sœurs blanches et le pasteur Rolland contribuent aussi à ces œuvres de charité.

*

On me dira : « Ce sont des cas particuliers...
C'est la crise, etc. Et, en tout cas, les chiffres
ne veulent *rien* dire. » J'avoue que je ne puis
comprendre cette façon de voir. Les statistiques
ne veulent rien dire et j'en suis bien d'accord,
mais si je dis que l'habitant du village d'Azouza
que je suis allé voir faisait partie d'une famille
de dix enfants dont deux seulement ont sur-
vécu, il ne s'agit point de chiffres ou de dé-
monstration, mais d'une vérité criante et révé-
latrice. Je n'ai pas besoin non plus de donner
le nombre d'élèves qui, dans les écoles autour
de Fort-National, s'évanouissent de faim. Il me
suffit de savoir que cela s'est produit et que
cela se produira si l'on ne se porte pas au secours de ces malheureux. Il me suffit de savoir
qu'à l'école de Talam-Aïach les instituteurs, en
octobre passé, ont vu arriver des élèves absolument nus et couverts de poux, qu'ils les ont ha-
billés et passés à la tondeuse. Il me suffit de
savoir qu'à Azouza, parmi les enfants qui ne
quittent pas l'école à 11 heures parce que leur
village est trop éloigné, un sur soixante environ
mange de la galette et les autres déjeunent d'un
oignon ou de quelques figues.

À Fort-National, à la distribution de grains,
j'ai interrogé un enfant qui portait sur son dos
le petit sac d'orge qu'on venait de lui donner.

— Pour combien de jours, on t'a donné ça ?
— Quinze jours.

— Vous êtes combien dans la famille ?
— Cinq.
— C'est tout ce que vous allez manger ?
— Oui.
— Vous n'avez pas de figues ?
— Non.
— Vous mettez de l'huile dans la galette ?
— Non. On met de l'eau.
Et il est parti avec un regard méfiant.

....

Est-ce que cela ne suffit pas ? Si je jette un regard sur mes notes, j'y vois deux fois autant de faits révoltants et je désespère d'arriver à les faire connaître tous. Il le faut pourtant et tout doit être dit.

Pour aujourd'hui, j'arrête ici cette promenade à travers la souffrance et la faim d'un peuple. On aura senti du moins que la misère ici n'est pas une formule ni un thème de méditation. Elle est. Elle crie et elle désespère. Encore une fois, qu'avons-nous fait pour elle et avons-nous le droit de nous détourner d'elle ? Je ne sais pas si on l'aura compris. Mais je sais qu'au retour d'une visite à la « tribu » de Tizi-Ouzou, j'étais monté avec un ami kabyle sur les hauteurs qui dominent la ville. Là, nous regardions la nuit tomber. Et à cette heure où l'ombre qui descend des montagnes sur cette terre splendide apporte une détente au cœur de l'homme le plus endurci, je savais pourtant qu'il n'y avait pas de paix pour ceux qui, de l'autre côté de la vallée, se réunissaient autour d'une galette de mauvaise orge. Je savais aussi qu'il y aurait eu de la douceur à s'abandonner à ce soir si surprenant et si grandiose, mais que cette misère dont les feux rougeoyaient en face de nous mettait comme un interdit sur la beauté du monde.

« Descendons, voulez-vous ? » me dit mon compagnon.

LE DÉNUEMENT

(suite)

Après avoir parcouru la région de Tizi-Ouzou, un soir où nous nous promenions dans les
rues de la ville, je demandai à un de mes com-
pagnons si « c'était partout comme ça ». Il me
répondit que je verrais pire. Après quoi nous
parcourûmes longtemps le village indigène où,
venues des boutiques faiblement éclairées, des
lueurs coulaient dans les rues sombres avec des
airs de musique, une danse de marteaux et des
bavardages confus.

Et le fait est que j'ai vu pire.

Je savais en effet que la tige de chardon
constituait une des bases de l'alimentation kabyle. Je l'ai ensuite vérifié un peu partout. Mais
ce que je ne savais pas c'est que l'an passé, cinq
petits Kabyles de la région d'Abbo sont morts
à la suite d'absorption de racines vénéneuses.
Je savais que les distributions de grains ne suf-
fisaient pas à faire vivre les Kabyles. Mais je ne
savais pas qu'elles les faisaient mourir et que

cet hiver quatre vieilles femmes venues d'un douar éloigné jusqu'à Michelet pour recevoir de l'orge sont mortes dans la neige sur le chemin du retour.

Et tout est à l'avenant. À Adni, sur 106 élèves qui fréquentent les écoles, 40 seulement mangent à leur faim. Dans le village même, le chômage est général et les distributions très rares. Dans les douars de la commune de Michelet, on compte à peu près 500 chômeurs par douar. Et pour les douars les plus malheureux, les Akbils, les Aït-Yahia, les Abi-Youçef, la proportion est encore plus forte. On compte 4 000 chômeurs valides dans cette commune. À l'école d'Azerou-Kollal, sur 110 élèves, on en compte 35 qui ne font qu'un seul repas par jour. À Maillot, on estime à 4/5 de la population le nombre des indigents. Là, les distributions n'ont lieu que tous les trois mois. Aux Ouadhias, sur 7 500 habitants, on compte 300 miséreux. Dans la région de Sidi-Aïch, 60 % des habitants sont indigents. Dans le village d'El-Flay, au-dessus du centre de Sidi-Aïch, on cite et on montre des familles qui restent souvent deux et trois jours sans manger. La plupart des familles de ce village ajoutent au menu quotidien de racines et de galettes les graines de pin qu'elles peuvent trouver en forêt. Mais cette audace leur rapporte surtout des procès, puisque le code forestier et les gardes forestiers sont impitoyables à cet égard.

Si cette énumération ne paraît pas suffisamment convaincante, alors j'ajouterai que dans la commune d'El-Kseur, sur 2 500 habitants kabyles, on compte 2 000 indigents. Les ouvriers agricoles emportent avec eux, pour la nourriture de toute une journée, un quart de galette d'orge et un petit flacon d'huile. Les familles, aux racines et aux herbes, ajoutent les orties. Cuite pendant plusieurs heures, cette plante fournit un complément au repas du pauvre. On constate le même fait dans les douars qui se trouvent autour d'Azazga. De même les villages indigènes autour de Dellys sont parmi les plus pauvres. En particulier le douar Beni-Sliem compte l'incroyable proportion de 96 % d'indigents. La terre ingrate de ce douar ne fournit rien. Les habitants sont réduits à utiliser le bois mort pour en faire du charbon qu'ils tentent ensuite d'aller vendre à Dellys. Je dis qu'ils le tentent, car ils ne possèdent pas de permis de colportage et, dans la moitié des cas, le charbon et l'âne du colporteur sont saisis. Les habitants de Beni-Sliem ont pris l'habitude de venir à Dellys la nuit. Mais le garde champêtre aussi et l'âne saisi est envoyé à la fourrière. Le charbonnier doit alors payer une amende et les frais de fourrière. Et comme il ne le peut, la contrainte par corps l'enverra en prison. Là du moins, il mangera. Et c'est dans ce sens et dans ce sens seulement qu'on peut dire sans

ironie que le colportage du charbon nourrit les
Beni-Sliem.

Qu'ajouterais-je à tous ces faits ? Qu'on les
lise bien. Qu'on place derrière chacun d'eux la
vie d'attente et de désespoir qu'ils figurent. Si
on les trouve naturels, alors qu'on le dise. Mais
qu'on agisse si on les trouve révoltants. Et si
enfin on les trouve incroyables, je demande
qu'on aille sur place.

Quels remèdes a-t-on apporté à une pareille
détresse ? Je réponds tout de suite : un seul et
c'est la charité. D'une part, on distribue des
grains et, d'autre part, on crée avec ces grains
et avec des secours en espèces des chantiers
dits de « charité ».

Sur les distributions, je serai bref. L'expérience même en démontre l'absurdité. Distribuer 12 litres de grains tous les deux ou trois
mois à des familles de 4 ou 5 enfants, c'est très
exactement cracher dans l'eau pour faire des
ronds. On dépense des millions chaque année
et ces millions restent improductifs. Je ne crois
pas que la charité soit un sentiment inutile.
Mais je crois qu'en certains cas ses résultats le
sont et qu'alors il faut lui préférer une politique
sociale constructive.

Il faut bien dire de plus que le choix des bé-
néficiaires de ces distributions est le plus sou-

vent laissé à l'arbitraire du caïd ou de conseillers municipaux qui ne sont pas forcément indépendants. On affirme à Tizi-Ouzou que les dernières élections au Conseil général ont été faites avec le grain des distributions. Ce n'est pas mon affaire de savoir si cela est vrai. Mais le fait que cela puisse être dit condamne déjà la méthode. Et je sais, en tout cas, qu'aux Issers on a refusé du grain à ceux des indigents qui avaient voté pour le parti populaire algérien. Presque toute la Kabylie d'autre part se plaint de la qualité du blé distribué. Ce grain provient sans doute pour une partie des excédents nationaux, mais il est fourni aussi, pour une autre partie, par les stocks défraîchis de l'armée. Le résultat, c'est qu'à Michelet par exemple, on a distribué une orge si amère que les bêtes n'en voulaient pas et certains Kabyles m'ont confié sans rire qu'il leur arrivait d'envier les chevaux de la gendarmerie puisque, du moins, un vétérinaire était chargé de vérifier leur nourriture.

Pour remédier au chômage, beaucoup de communes ont organisé des chantiers de charité où les indigents exécutent des travaux d'utilité publique et reçoivent en échange un salaire de 8 à 10 francs par jour, payé moitié en grains, moitié en argent. Les communes de Fort-National et de Michelet, de Maillot et de

Misère de la Kabylie   47

Port-Gueydon, pour n'en citer que quelques-
unes, ont organisé ces chantiers. Cette institution a un avantage : elle ménage la dignité de
l'indigent. Mais elle a un inconvénient. C'est
que dans les communes où tout le grain est em-
ployé à cet effet, les infirmes ne sont plus secourus puisqu'ils ne peuvent travailler. De plus,
le nombre des places étant limité, on emploie
les indigents par roulement et le Kabyle qui
peut travailler deux jours se place parmi les
plus favorisés. À Tizi-Ouzou, les ouvriers travaillent 4 jours tous les 40 jours pour un double
décalitre de blé. Là encore, des millions sont
dépensés pour faire des ronds dans l'eau.

Enfin, je ne saurai passer sous silence une
pratique qui est devenue générale et contre
laquelle une protestation énergique doit être
élevée. Dans toutes les communes, à l'exception de Port-Gueydon, les impôts arriérés des
indigents (car les indigents payent ou plutôt ne
payent pas leurs impôts) sont prélevés sur la
partie argent de leur salaire. Il n'y a pas de mot
assez dur pour qualifier pareille cruauté. Si les
chantiers de charité sont faits pour aider à vivre
des gens qui meurent de faim, ils trouvent une
justification, dérisoire sans doute, mais réelle.
Mais s'ils ont pour effet de faire travailler en
continuant à les laisser crever de faim des gens
qui jusque-là crevaient de faim sans travailler,
ils constituent une exploitation intolérable du
malheur.

Je ne voudrais pas terminer ce tableau de la misère matérielle sans faire remarquer qu'elle ne figure pas la limite extrême de la détresse de ce peuple. Si extraordinaire que cela paraisse, il y a pire puisqu'il y a l'hiver au bout de chaque été. En ce moment, la nature est favorable à ces malheureux. Il ne fait pas froid. Les chemins muletiers sont praticables. On peut cultiver le chardon sauvage pendant deux mois. Les racines sont abondantes. On peut manger la salade crue. Ce qui nous paraît aujourd'hui une misère extrême est pour le paysan kabyle une période bénie. Mais le jour où la neige recouvre la terre et bloque les communications, où le froid déchire ces corps mal nourris et rend le gourbi inhabitable, ce jour-là commence pour tout un peuple une longue période de souffrances indicibles.

C'est pour cela qu'avant de passer à d'autres aspects de la malheureuse Kabylie, je voudrais faire justice de certains arguments que nous connaissons bien en Algérie et qui s'appuient sur la « mentalité » kabyle pour trouver des excuses à la situation actuelle. Car je ne connais rien de plus méprisable que ces arguments. Il est méprisable de dire que ce peuple s'adapte à tout. M. Albert Lebrun lui-même, si on lui donnait 200 francs par mois pour sa subsistance, s'adapterait à la vie sous les ponts, à la saleté et à la croûte de pain trouvée dans une poubelle. Dans l'attachement d'un homme à sa vie, il y a quelque chose de plus fort que toutes les misères du monde. Il est méprisable de dire que ce peuple n'a pas les mêmes besoins que nous. S'il n'en avait pas eu, il y a beau temps que nous les lui aurions créés. Il est curieux de voir comment les qualités d'un peuple peuvent servir à justifier l'abaissement où on le tient et comment la sobriété proverbiale du paysan kabyle peut légitimer la faim qui le ronge. Non, ce n'est pas ainsi qu'il faut voir les choses. Et ce n'est pas ainsi que nous les verrons. Car les idées toutes faites et les préjugés deviennent odieux quand on les applique à un monde où les hommes meurent de froid et où les enfants sont réduits à la nourriture des bêtes sans en avoir l'instinct qui les empêcherait de périr. La vérité, c'est que nous côtoyons tous les jours un peuple qui vit avec trois siècles de retard, et nous sommes les seuls à être insensibles à ce prodigieux décalage.

LES SALAIRES

Les gens qui meurent de faim n'ont généralement qu'un moyen d'en sortir et c'est le travail. C'est là une vérité première que je m'excuse de répéter. Mais la situation actuelle de la Kabylie prouve que cette vérité n'est pas aussi universelle qu'elle le paraît. J'ai dit, précédemment, que la moitié de la population kabyle est en chômage et que les trois quarts sont sous-alimentés. Cette disproportion n'est pas le résultat d'une exagération arithmétique. Elle prouve seulement que le travail de ceux qui ne chôment pas ne les nourrit pas.

On m'avait prévenu que les salaires étaient insuffisants. Je ne savais pas qu'ils étaient insultants. On m'avait dit que la journée de travail excédait la durée légale. J'ignorais qu'elle n'était pas loin de la doubler. Je ne voudrais pas hausser le ton. Mais je suis forcé de dire ici que le régime du travail en Kabylie est un régime d'esclavage. Car je ne vois pas de quel autre nom appeler un régime où l'ouvrier travaille de 10 à 12 heures pour un salaire moyen de 6 à 10 francs.

Je vais donner, sans y ajouter de commentaires, les salaires ouvriers par région. Mais je voudrais dire auparavant que, si extraordinaires qu'ils paraissent, je les garantis absolument. J'ai sous les yeux des cartes d'ouvriers agricoles des domaines Sabaté-Tracol dans la région de Bordj-Menaïel. Elles portent la mention de la quinzaine en cours, le nom de l'ouvrier, son numéro d'ordre et le prix convenu. Sur l'une je lis 8 francs, sur l'autre 7 et sur la dernière 6. Dans la colonne réservée au pointage, je vois que l'ouvrier qui touche 6 francs a travaillé 4 jours dans la quinzaine. Se rend-on compte de ce que cela représente ?

Même si l'ouvrier en question travaillait 25 jours par mois, il gagnerait 150 francs, avec quoi il lui faudrait nourrir pendant 30 jours une famille de plusieurs enfants. Ceci recule les bornes de l'indignation. Mais je demanderai seulement combien de ceux qui me lisent sauraient vivre avec ces ressources.

Avant d'aller plus loin, voici des précisions. Je viens de donner les salaires moyens de la région de Bordj-Menaïel. J'ajouterai ceci : les sirènes des fermes Tracol hurlent en pleine saison (en ce moment) à 4 heures, à 11 heures, à 12 heures et à 19 heures. Cela fait 14 heures de travail. Les ouvriers communaux du village touchent 9 francs par jour. Après protestation des conseillers municipaux indigènes, les salaires ont été portés à 10 francs. À la Tabacoop de la même région, le salaire est de 9 francs. À Tizi-Ouzou, le salaire moyen est de 7 francs pour 12 heures. Les employés communaux reçoivent 12 francs.

Les propriétaires kabyles de la région emploient aussi les femmes pour le sarclage. Pour la même durée, *elles sont payées trois francs cinquante*. À Fort-National, les propriétaires kabyles, qui n'ont rien à envier aux colons à cet égard, payent leurs ouvriers 6 et 7 francs par jour. Les femmes sont payées 4 francs et on leur donne de la galette. Les employés communaux sont payés 9, 10 et 11 francs.

Dans la région de Djemaâ-Saridj, où le pays est plus riche, les hommes sont payés de 8 à 10 francs pour une dizaine d'heures et les femmes 5 francs. Autour de Michelet, le salaire agricole moyen est de 5 francs, plus la nourriture, pour 10 heures de travail. Le salaire communal est de 11 à 12 francs. Mais on retient directement sur cet argent, et sans prévenir les intéressés, l'arriéré des impôts.

Ces retenues atteignent parfois *la totalité du*

salaire. Elles sont, en moyenne, de 40 francs par quinzaine.

Aux Ouadhias, le salaire agricole est de 6 à 8 francs. Les femmes touchent pour la cueillette d'olives de 3 à 5 francs, les ouvriers communaux de 10 à 11 francs, sur lesquels on retient aussi l'arriéré d'impôts.

Dans la région de Maillot, pour une journée de travail illimitée, l'ouvrier touche de 9 à 10 francs. Pour la cueillette des olives, on a aussi institué un salaire familial de 8 francs au quintal d'olives récoltées. Une famille de 4 personnes récolte en moyenne deux quintaux dans une journée. Elle gagne donc 4 francs par personne.

Dans la région de Sidi-Aïch, le salaire est de 6 francs, plus la galette et les figues. Une société agricole locale paye ses ouvriers 7 francs sans la nourriture. On pratique aussi le louage à 1 000 francs par an, plus la nourriture.

Dans la plaine d'El-Kseur, région colonisée, l'homme touche 10 francs, la femme 5 francs et l'enfant qu'on emploie à la taille de la vigne, 3 francs. Enfin, dans la région qui va de Dellys à Port-Gueydon, le salaire moyen est de 6 à 10 francs pour 12 heures de travail.

J'arrêterai cette révoltante énumération sur deux remarques. Tout d'abord, il n'y a jamais eu de réaction de la part des ouvriers. En 1936 seulement, aux Beni-Yenni, des ouvriers occupés à construire une route, qui touchaient *cinq francs par jour*, ont fait grève et ont obtenu un cahier de charges qui fixait leur salaire à 10 francs. Ces ouvriers n'étaient pas syndiqués.

Je noterai enfin que la durée injustifiable de la journée de travail se trouve aggravée du fait que l'ouvrier kabyle habite toujours loin du lieu de travail. Certains font ainsi plus de 10 kilomètres à l'aller et au retour. Et, rentrés à 10 heures du soir chez eux, ils en repartent à 3 heures du matin, après quelques heures d'un sommeil écrasant. On me demandera ce qui les oblige à retourner chez eux. Et je dirai seulement qu'ils ont l'inconcevable prétention d'aspirer à quelques moments de détente au milieu d'un foyer qui demeure à la fois leur seule joie et le sujet de tous leurs soucis.

Un pareil état de choses a ses raisons. L'estimation officielle de la journée de prestations est de 17 francs. Si l'on arrive à payer 6 francs la journée de travail, c'est que le chômage étendu permet la concurrence. Les colons et les propriétaires kabyles le savent si bien qu'on a pu voir certains administrateurs hésiter à augmenter les salaires communaux pour ne pas les mécontenter.

Aux Beni-Yenni, grâce à des circonstances sur lesquelles je reviendrai, une politique de grands travaux a été instaurée. Le chômage ayant notablement diminué, *les ouvriers sont payés 22 francs par jour.* Ceci fait la preuve que l'exploitation seule est la cause des bas salaires. Aucune des autres raisons qu'on en donne n'est valable.

Les colons invoquent le fait que l'ouvrier kabyle se déplace souvent et lui appliquent le salaire dit « de passage ». Mais en Kabylie, tous les salaires aujourd'hui sont de passage et cette misérable excuse couvre d'inexcusables intérêts.

Quant à l'idée si répandue de l'infériorité de la main-d'œuvre indigène, c'est sur elle que je voudrais terminer. Car elle trouve sa raison dans le mépris général où le colon tient le malheureux peuple de ce pays. Et ce mépris, à mes yeux, juge ceux qui le professent. J'affirme qu'il est faux de dire que le rendement d'un ouvrier kabyle est insuffisant. Car s'il l'était, les contremaîtres qui le talonnent se chargeraient de l'améliorer.

Il est vrai par contre que l'on peut voir sur des chantiers vicinaux des ouvriers chancelants et incapables de lever une pioche. Mais c'est qu'ils n'ont pas mangé. Et l'on nous met en présence d'une logique abjecte qui veut qu'un homme soit sans forces parce qu'il n'a pas de quoi manger et qu'on le paye moins parce qu'il est sans forces.

Il n'y a pas d'issue à cette situation. Ce n'est pas en distribuant du grain qu'on sauvera la Kabylie de la faim, mais en résorbant le chômage et en contrôlant les salaires. Cela, on peut et on doit le faire dès demain.

J'ai appris aujourd'hui que la colonie, pour donner à la population indigène une preuve de son intérêt, allait récompenser les anciens combattants par le don d'un insigne. Puis-je dire que ce n'est pas avec ironie que j'écris ceci, mais avec une certaine tristesse ? Je ne vois pas de mal à ce qu'on récompense le courage et la loyauté. Mais beaucoup de ceux que la faim ronge aujourd'hui en Kabylie ont combattu aussi. Et je me demande de quel air ils montreront à leurs enfants affamés le morceau de métal qui témoignera de leur fidélité.

L'ENSEIGNEMENT

La soif d'apprendre du Kabyle et son goût pour l'étude sont devenus légendaires. Mais c'est que le Kabyle, outre ses dispositions naturelles et son intelligence pratique, a vite compris quel instrument d'émancipation l'école pouvait être. Il n'est pas rare, à l'heure actuelle, de voir des villages proposer un local, offrir une participation en argent ou de la main-d'œuvre gratuite pour qu'une école leur soit donnée. Il n'est pas rare non plus de voir ces offres inutilisées. Et ceci ne vaut pas seulement pour les garçons. Je n'ai pas traversé un seul centre de la Kabylie sans que ses habitants ne me disent leur impatience d'avoir des écoles de filles. Et il n'est pas une de ces écoles qui, aujourd'hui, ne refuse des élèves.

Du reste, c'est tout le problème de l'enseignement en Kabylie : ce pays manque d'écoles, mais il ne manque pourtant pas de crédits pour l'enseignement. J'expliquerai tout à l'heure ce paradoxe. Si je mets à part la dizaine d'écoles grandioses récemment construites, la plupart des écoles kabyles d'aujourd'hui datent de l'époque où le budget algérien dépendait de la métropole, aux environs de 1892.

De 1892 à 1912, la construction d'écoles a marqué un temps d'arrêt total. À cette époque, le projet Joly-Jean-Marie envisagea la construction de nombreuses écoles à 5 000 francs ; le gouverneur général Lutaud, le 7 février 1914, annonça même solennellement la construction en Algérie de 62 classes et de 22 écoles par an. Si la moitié de ce projet avait été exécuté, les 900 000 enfants indigènes qui se trouvent aujourd'hui sans école auraient été scolarisés.

Pour des raisons que je n'ai pas à approfondir, il n'a pas été donné de suite à ce projet officiel. Le résultat, je le résumerai en un chiffre : aujourd'hui, un dixième seulement des enfants kabyles en âge de fréquenter l'école peuvent bénéficier de cet enseignement.

Est-ce à dire que la colonie n'a rien fait à cet égard ? Le problème est complexe. Dans un récent discours, M. Le Beau a déclaré que plusieurs millions avaient été consacrés à l'enseignement indigène. Or, les précisions que je vais maintenant donner prouvent sans contredit que la situation n'a pas été sensiblement améliorée. Il faut donc croire, pour parler net, que ces millions ont été mal dépensés et c'est ce que je me

propose d'illustrer par des explications. Mais
voyons d'abord la situation.

Comme il est naturel, les centres économiques et touristiques sont bien desservis. Mais ce
qui nous intéresse ici, c'est le sort des douars et
de la population kabyle. Pourtant, on peut déjà
noter que Tizi-Ouzou, qui possède une belle
école indigène de 600 places, refuse 500 écoliers par an.

Dans une école des Oumalous que j'ai pu
voir, les instituteurs devaient refuser en octobre
une dizaine d'écoliers par classe. Et ces classes
comptaient déjà des effectifs surchargés de 60 à
80 élèves.

Aux Beni-Douala, on peut admirer une
classe de 86 élèves où les enfants sont casés un
peu partout, entre les bancs, sur l'estrade et
quelques-uns debout. À Djemaâ-Saridj, une
magnifique école de 250 élèves en a refusé une
cinquantaine en octobre. L'école d'Adni qui
compte 106 élèves en a rejeté une dizaine,
après avoir mis à la porte les enfants âgés de
treize ans.

Autour de Michelet, la situation est, si j'ose
dire, plus instructive. Le douar Aguedal, qui
compte 11 000 habitants, a une seule école de
deux classes. Le douar Ittomagh, peuplé par
10 000 Kabyles, n'en a pas du tout. Aux Beni-

Ouacif, l'école de Bou-Abderrahmane vient de refuser une centaine d'élèves.

Depuis deux ans, le village d'Aït-Aïlem offre un local qui n'attend qu'un instituteur.

Dans la région de Sidi-Aïch, au village du Vieux-Marché, 200 postulants se sont présentés en octobre. On en a reçu une quinzaine.

Le douar Ikedjane, qui compte 15 000 habitants, n'a pas une seule classe. Le douar Timzrit qui a la même population a une école d'une classe. Le douar Iyadjadjène (5 000 habitants) n'a pas d'école. Le douar Azrou-N'-Bechar (6 000 habitants) n'a pas d'école.

On évalue dans la région à 80 % le nombre d'enfants privés d'enseignement. Ce que je traduirai en disant que près de 10 000 enfants dans cette seule région sont livrés à la boue des égouts.

En ce qui concerne la commune de Maillot, j'ai sous les yeux le décompte des écoles par douar et par habitant. Bien qu'il ne s'agisse pas ici de littérature mondaine, je crois que l'énumération en serait fastidieuse. Qu'on sache seulement que pour 30 000 Kabyles environ la région dispose de neuf classes. Dans la région de Dellys, le douar Beni-Sliem, dont j'ai déjà signalé l'extrême pauvreté, a 9 000 habitants et pas une seule classe.

Quant aux écoles de filles, l'initiative louable prise par la colonie ne date pas de longtemps

et il est certain que neuf douars sur dix en manquent. Mais on aurait mauvaise grâce à chercher des responsabilités. Ce qu'il faut dire cependant, c'est l'extrême importance que les
Kabyles attachent à cet enseignement et l'unanimité avec laquelle ils réclament son extension.

Rien de plus émouvant à cet égard que la
lucidité avec laquelle certains Kabyles prennent
conscience du fossé que l'enseignement unilaté-
ral creuse entre leurs femmes et eux : « Le
foyer, m'a dit l'un d'eux, n'est plus qu'un nom
ou une armature sociale sans contenu vivant.
Et nous éprouvons tous les jours l'impossibilité
douloureuse de partager avec nos femmes un
peu de nos sentiments. Donnez-nous des écoles
de filles, sans quoi cette cassure déséquilibrera
la vie des Kabyles. »

Est-ce à dire qu'on n'a rien fait pour l'enseignement kabyle ? Au contraire. On a construit
des écoles magnifiques, une dizaine en tout, je
crois. Chacune de ces écoles a coûté de 700 000
à 1 million de francs. Les plus somptueuses
sont certainement celles de Djemaâ-Saridj, de
Tizi-Rached, de Tizi-Ouzou et de Tililit. Mais
ces écoles refusent régulièrement du monde.
Mais ces écoles ne répondent à aucun des besoins de la région.

La Kabylie n'a que faire de quelques palais. Elle a besoin de beaucoup d'écoles saines et modestes. Je crois avoir tous les instituteurs avec moi en disant qu'ils peuvent se passer de murs mosaïqués et qu'un logement confortable et salubre leur suffit. Et je crois aussi qu'ils aiment assez leur métier, comme ils le prouvent tous les jours, dans la solitude difficile du bled, pour préférer deux classes de plus à une pergola inutile.

Le symbole de cette absurde politique, je l'apercevais sur la route de Port-Gueydon, en traversant la région d'Aghrib, une des plus ingrates de la Kabylie. Une seule chose était belle, et c'était le poids de la mer qu'on voyait, du sommet du col, reposer dans une échancrure de montagnes. Mais sous cette lumière bourdonnante, des terres ingrates et rocheuses, couvertes de genêts flamboyants et de lentisques, s'étendaient à perte de vue. Et là, au milieu de ce désert sans un homme visible, s'élevait la somptueuse école d'Aghrib, comme l'image même de l'inutilité.

Je me sens contraint de dire ici toute ma pensée. Je ne sais pas ce qu'il faut croire de ce que me disait ce Kabyle : « Il s'agit, voyez-vous, de faire le moins de classes possible avec le plus de capitaux. » Mais j'ai l'impression que ces écoles sont faites pour les touristes et les commissions d'enquête et qu'elles sacrifient au préjugé du prestige les besoins élémentaires du peuple indigène.

Rien ne me paraît plus condamnable qu'une pareille politique. Et si jamais l'idée de prestige pouvait recevoir une justification, elle la recevra le jour où elle s'appuiera, non sur l'apparence et l'éclat, mais sur la générosité profonde et la compréhension fraternelle.

En attendant, il faut savoir qu'avec les mêmes crédits qui ont servi à édifier une de ces écoles-palais, on pourrait construire trois classes de plus et résorber l'excédent rejeté chaque année. Je me suis renseigné sur le prix de revient d'une école type, moderne et confortable, comprenant deux classes et deux logements d'instituteurs.

Une telle école peut être édifiée avec 200 000 francs. Et chaque école-palais permettrait d'en construire trois. Il me semble que ceci devrait suffire à juger une politique qui consiste à donner une poupée de 1 000 francs à un enfant qui n'a pas mangé depuis trois jours.

Les Kabyles réclament donc des écoles, comme ils réclament du pain. Mais j'ai aussi la conviction que le problème de l'enseignement doit subir une réforme plus générale. La question que j'ai posée à ce sujet aux populations kabyles a rencontré l'unanimité. Les Kabyles auront plus d'écoles le jour où on aura supprimé la barrière artificielle qui sépare l'enseignement européen de l'enseignement indigène, le jour enfin où, sur les bancs d'une même école, deux peuples faits pour se comprendre commenceront à se connaître.

Certes, je ne me fais pas d'illusions sur les pouvoirs de l'instruction. Mais ceux qui parlent avec légèreté de l'inutilité de l'instruction en ont profité eux-mêmes. En tout cas, si l'on veut vraiment d'une assimilation, et que ce peuple si digne soit français, il ne faut pas commencer par le séparer des Français. Si je l'ai bien compris, c'est tout ce qu'il demande. Et mon sentiment, c'est qu'alors seulement la connaissance mutuelle commencera. Je dis « commencera » car, il faut bien le dire, elle n'a pas encore été faite et par là s'expliquent les erreurs de nos politiques. Il suffit pourtant, je viens d'en faire l'expérience, d'une main sincèrement tendue. Mais c'est à nous de faire tomber les murs qui nous séparent.

L'AVENIR POLITIQUE

Je voudrais envisager à partir de maintenant, sans jouer à l'économiste distingué et sous le seul angle du bon sens, l'avenir politique, économique et social qu'on pourrait souhaiter à la Kabylie. J'ai assez dit la misère de ce pays. Mais on ne saurait se borner à la description de cette détresse sans trahir du même coup la tâche qu'elle commande.

Je voudrais aussi prévoir ici une méthode. Devant une situation aussi pressante, il s'agit de faire vite et on aurait mauvaise grâce à imaginer des systèmes utopiques et à préconiser des solutions chimériques. C'est pourquoi dans chacune des suggestions qui seront exposées ici, on partira non des principes hasardeux, mais des expériences mêmes qui ont été déjà tentées en Kabylie ou qui sont en train de l'être. Comme il est naturel rien ici n'est inventé. Un conférencier de talent le disait récemment avec force : en matière de politique, il n'y a pas de droits d'auteur. C'est le bien d'un peuple fraternel qu'il s'agit de rechercher ici et c'est la seule tâche que nous nous proposons.

Il faut partir de ce principe que si quelqu'un peut améliorer le sort de Kabyles, c'est d'abord le Kabyle lui-même. Les trois quarts de la Kabylie vivent sous le régime de la commune mixte et du caïdat. Je ne referai pas après tant d'autres le procès d'une forme politique qui n'a que de très lointains rapports avec la démocratie. On a tout dit sur les abus engendrés par cette organisation. Mais dans le cadre même de la commune mixte, il est désormais possible aux Kabyles de faire leurs preuves en matière administrative.

Par décret du 27 avril 1937, un législateur généreux a envisagé la possibilité d'ériger certains douars d'Algérie en communes et d'en confier la direction aux indigènes eux-mêmes sous le contrôle d'un administrateur. Plusieurs expériences ont été faites en pays arabe et en pays kabyle. Et si cette tentative est susceptible de réussite, l'extension des douars-communes n'a pas de raison d'être retardée. Or une expérience riche d'enseignements se déroule en ce moment en Kabylie et c'est elle que j'ai voulu voir. Depuis janvier 1938, le douar des Oumalous, à quelques kilomètres de Fort-National, fonctionne en douar-commune, sous la présidence de M. Hadjeres. Grâce à l'obligeance et à l'intelligente compétence de celui-ci, j'ai pu voir sur place le fonctionnement de ce douar et me documenter sur ses réalisations. Le douar des Oumalous comprend 18 villages et 1 200 administrés. Au centre géographique du douar, on a élevé une mairie et quelques dépendances. Cette mairie fonctionne comme toutes les mairies, mais l'avantage qu'elle présente pour les habitants, c'est qu'elle leur évite les longs déplacements pour formalités administratives. Au mois de mai 1938, la mairie n'a pas délivré moins de 517 pièces à ses administrés. Et pendant la même année elle a facilité l'émigration de 515 Kabyles.

Avec un budget minime de 200 000 francs, cette municipalité en miniature composée d'élus kabyles, portés au pouvoir par des électeurs kabyles, fait vivre depuis un an et demi une communauté indigène où personne ne se plaint. Pour la première fois, les Kabyles ont affaire à des élus qu'ils peuvent contrôler, qui leur sont abordables et avec qui ils discutent et ne subissent pas.

À juste titre, ces biens leur paraissent inestimables. Et c'est pourquoi on ne saurait être trop prudent dans la critique de ces nouvelles expériences. Seules, les améliorations proposées par M. Hadjeres me paraissent pertinentes.

Car jusqu'à présent, en effet, la municipalité des douars-communes élue au scrutin de liste choisissait sans doute son président. Mais le douar conservait quand même son caïd et demeurait sous le contrôle de l'administrateur. Les fonctions de ces trois responsables sont par suite assez mal définies et il y aurait avantage à les préciser et à les limiter.

D'autre part, l'expérience des douars-communes a soulevé quelques protestations sur l'esprit desquelles je ne m'arrêterai pas et provoqué quelques critiques qui méritent examen. Dans une campagne de presse récente, on a tenté de démontrer que le douar était une unité administrative artificielle et qu'on risquait de réunir dans le cadre du douar-commune des villages et des factions dont les intérêts sont opposés. Ceci n'est pas vrai, il faut le dire tout de suite, dans la majorité des cas. Cette situation peut cependant se rencontrer. Mais la même campagne de presse tendait à transférer du douar au village le bénéfice de l'expérience envisagée. Et cette idée se heurte alors à toutes les objections. D'une part, la majorité des villages n'ont aucune ressource. Il y a, par exemple, des villages qui n'ont, pour tout bien commun, qu'un frêne ou qu'un figuier dans l'indivision. D'autre part, les villages kabyles sont en trop grand nombre et on ne peut songer à réaliser un pareil émiettement des municipalités dont le contrôle serait impossible à réaliser.

Il reste, il est vrai, à tenter un regroupement des villages suivant leur unité géographique et culturelle. Mais les anciennes divisions étant maintenues dans le cadre de la commune mixte, il en résulterait une somme de complications administratives qu'il faudrait éviter.

C'est sans doute pourquoi il paraît préférable d'assouplir l'actuelle législation sans rien changer au cadre administratif choisi. Et, là, je ne puis mieux faire que de résumer le plan d'amélioration politique que M. Hadjeres m'exposa avec une étonnante clairvoyance. Au vrai, ce plan revient à réaliser une démocratie encore plus complète dans le douar-commune et à la baser sur une sorte de représentation proportionnelle. S'il s'agit seulement d'éviter les heurts d'intérêts, en effet, M. Hadjeres est d'avis qu'il suffit de donner une expression à tous ces intérêts. Et c'est ainsi que le président propose, d'une part, que les élections ne se fassent plus au scrutin de liste, mais que chaque village élise ses représentants. La réunion de ces représentants formera le conseil municipal qui élira son président. Ainsi les compétitions entre villages à l'intérieur d'un douar seront supprimées. D'autre part, les élections à l'intérieur du village se feront au scrutin proportionnel. Et chaque village aura un représentant par

800 habitants. Ainsi les rivalités à l'intérieur du village seront également supprimées. Par ce moyen, la djemaâ des Oumalous, par exemple, au lieu de 16 membres en compterait 20. Enfin, M. Hadjeres envisage l'érection en communes de tous les douars de la commune mixte de Fort-National et la mise en commun de toutes les ressources dans le budget unique de la commune mixte qui le répartirait entre les douars au prorata de leurs besoins et de leur population. Ainsi se trouverait réalisée au cœur du pays kabyle une sorte de petite république fédérative inspirée des principes d'une démocratie vraiment profonde. Et une vue si lucide des choses, un bon sens si remarquable m'apparaissaient, en écoutant le président des Oumalous, comme un exemple pour beaucoup de nos démocrates officiels. En tout cas, je donne ici ce projet comme il est. Il reste à souhaiter que l'administration sache en tirer profit.

Si l'expérience des Oumalous a réussi, il n'y a aucune raison pour ne pas l'étendre. Bien des douars attendent qu'on les transforme en communes. Il en existe autour de Michelet, par exemple, qui sont nés plus viables encore que celui des Oumalous. Ils possèdent des marchés dont les revenus sont importants. Si l'administration a l'intention de faire réussir cette expérience, ce sont ces douars, les Menguellet, les Ouacif, qu'elle doit ériger en communes. À cet égard, il arrive souvent que la commune mixte s'oppose à cette érection pour les douars qui possèdent des marchés, sous prétexte que les ressources de ces marchés (certains fournissent près de 150 000 francs par an) reviennent à la commune : or, ces douars sont pratiquement les seuls viables. Si, d'autre part, on considère que le douar-commune doit, dans un avenir prochain, rendre inutile la commune mixte, on conviendra que c'est celle-ci qu'on doit sacrifier.

On ne doit pas non plus reculer devant la transformation d'autres douars, comme les Ouadhias, en commune de plein exercice. Le centre des Ouadhias comporte déjà plus de cent électeurs français. Son marché rapporte 70 000 francs par an, ses impôts 100 000. Il y a là une expérience à faire, en permettant à des citoyens français d'origine kabyle de s'exercer à la vie civique.

En tout cas, cette politique généreuse ouvrirait la voie à l'émancipation administrative de la Kabylie. Cette émancipation, il suffit aujourd'hui de la vouloir réellement. Elle peut se poursuivre parallèlement au relèvement matériel de ce malheureux pays. Nous avons fait assez d'erreurs dans cette voie pour savoir utiliser aujourd'hui l'expérience qui suit tous les échecs. Je ne connais guère, par exemple, d'argument plus spécieux que celui du statut personnel quand il s'agit de l'extension des droits politiques aux indigènes. Mais en ce qui concerne la Kabylie, cet argument devient risible. Car ce statut, c'est nous qui l'avons imposé aux Kabyles en arabisant leur pays par le caïdat et l'introduction de la langue arabe. Et nous sommes mal venus aujourd'hui de reprocher aux Kabyles cela même que nous leur avons imposé.

Que le peuple kabyle soit mûr pour marcher vers une vie plus indépendante et plus consciente, j'en avais la preuve le matin où, revenant des Oumalous, je conversais avec M. Hadjeres. Nous étions allés jusqu'à une trouée d'où l'on découvrait l'immensité d'un douar qui s'étendait jusqu'à l'horizon. Et mon compagnon, me nommant les villages, m'expliquait leur vie, comment le village imposait à chacun sa solidarité, forçait les habitants à suivre tous les enterrements afin que le convoi du pauvre fût aussi suivi que celui du riche, et comment, enfin, la peine la plus sévère était l'exclusion et la mise en quarantaine que personne ne pouvait supporter. Devant cet immense paysage où la lumière du matin bondissait, au-dessus de ce trou vertigineux où les arbres paraissaient des buées et dont la terre fumait sous le soleil, je comprenais quel lien pouvait unir ces hommes entre eux et quel accord les liait à leur terre. Je comprenais aussi combien peu leur eût été nécessaire pour vivre aussi en accord avec eux-mêmes. Et comment, alors, n'aurais-je pas compris ce désir d'administrer leur vie et cet appétit de devenir enfin ce qu'ils sont profondément : des hommes courageux et conscients chez qui nous pourrons sans fausse honte prendre des leçons de grandeur et de justice ?

L'AVENIR ÉCONOMIQUE ET
SOCIAL

La Kabylie a trop d'habitants et pas assez de
blé. Elle consomme plus qu'elle ne produit.
Son travail, rémunéré de façon dérisoire, ne
suffit pas à combler le déficit de sa balance
commerciale. Ses émigrés, aujourd'hui de plus
en plus rares, ne peuvent plus jeter le produit
de leur labeur dans cette balance déséquilibrée.

Si donc l'on veut rendre la Kabylie à un destin prospère, arracher ses habitants à la famine
et faire notre devoir vis-à-vis de ce peuple, ce
sont toutes ces conditions de la vie économique
kabyle qu'il faut transformer.

Le bon sens suffit ici à indiquer que si la Kabylie est un pays de consommation, il faut,
d'une part, essayer d'augmenter le pouvoir
d'achat du peuple kabyle et le mettre à même
de compenser par son travail les insuffisances
de sa production, et, d'autre part, essayer de réduire le décalage entre l'importation et la pro-

duction en augmentant celle-ci autant qu'il est possible.

Ce sont les deux lignes de force d'une politique évidente pour tout le monde. Mais ces deux efforts ne doivent pas être séparés. On ne peut songer à élever le niveau de vie de la Kabylie sans revaloriser à la fois son travail et sa production. Ce n'est pas seulement l'humanité qui est foulée aux pieds par les salaires à six francs, mais aussi la logique. Et par les bas prix des productions agricoles kabyles, on ne viole pas seulement la justice, mais aussi le bon sens.

Je reprendrai ici quelques-uns des thèmes constants de cette enquête. Le travail kabyle n'est payé comme il l'est qu'en raison du chômage et de la liberté laissée aux employeurs. Les salaires, en conséquence, ne deviendront normaux que lorsque le chômage aura été résorbé, la concurrence supprimée sur le marché du travail et le contrôle des tarifs rétabli.

En attendant que l'inspection du travail soit devenue une réalité en Kabylie, il est souhaitable que l'État emploie le plus possible d'ouvriers. Le contrôle ainsi sera automatique. De même, la liquidation du chômage peut se faire en trois temps : par une politique de grands travaux, par la généralisation de l'enseignement professionnel et par l'organisation de l'émigration.

La politique des grands travaux, je le sais,

fait partie de tous les programmes démagogiques. Mais le caractère essentiel de la démagogie, c'est que ses programmes sont faits pour n'être point appliqués. Il s'agit ici du contraire.

Faire des grands travaux dans un pays où le besoin ne s'en fait pas sentir, c'est, en effet, dilapider des crédits. Mais dois-je rappeler à quel point la Kabylie manque de routes et d'eau ? Une politique de grands travaux, en même temps qu'elle absorberait la plus grosse partie du chômage et qu'elle élèverait les salaires à un niveau normal, donnerait à la Kabylie une plus-value économique dont le bénéfice nous reviendrait un jour ou l'autre.

Cette politique a déjà été entamée. Là où elle a été menée de façon systématique, dans la commune de Port-Gueydon et au douar des Beni-Yenni, le résultat s'est fait aussitôt sentir. Dix-sept fontaines et plusieurs routes enrichissent la première. Quant au second, il est l'un des douars les plus riches de la Kabylie et ses ouvriers sont payés 22 francs par jour.

Mais le grand reproche dont on peut faire état, c'est que ces expériences sont isolées. C'est que des crédits énormes sont dispersés en petites subventions dont l'effet est pratiquement nul. Les délégations financières s'écrient régulièrement : « Où trouver les crédits ? » Or, il ne s'agit pas, pour le moment du moins, de trouver de nouveaux crédits, mais seulement de mieux utiliser ceux déjà votés.

Près de 600 millions ont été jetés sur la Kabylie. Le résultat, il y a déjà dix jours que j'essaie d'en faire sentir l'horreur. Ce qu'il faut ici, c'est un plan général et intelligent dont l'application sera poursuivie avec méthode. Nous n'avons que faire d'une politique politicienne, faite de demi-mesures et d'arrangements, de petites charités et de subventions éparpillées. La Kabylie réclame le contraire d'une politique politicienne, c'est-à-dire une politique clairvoyante et généreuse. Voir grand, réunir tous ces crédits dispersés, toutes ces subventions émiettées, toutes ces charités jetées au vent, ce sont les conditions d'une mise en valeur de la Kabylie par les Kabyles eux-mêmes et le retour de ces paysans à la dignité par un travail utile et justement payé.

Nous avons trouvé les crédits nécessaires pour donner à des pays d'Europe près de 400 milliards, aujourd'hui perdus à jamais. Il serait invraisemblable que nous n'arrivions pas à donner le centième de ces sommes pour le mieux-être d'hommes dont, sans doute, nous n'avons pas encore fait des Français, mais à qui nous demandons des sacrifices de Français.

Les salaires, d'autre part, ne sont si bas que parce que les Kabyles ne peuvent se placer dans les catégories d'ouvriers spécialisés protégés par la loi. Ici, c'est à l'éducation professionnelle tant ouvrière qu'agricole que nous devons recourir. Il existe, en Kabylie, des écoles professionnelles. À Michelet, cette école forme des forgerons, des menuisiers et des maçons. Elle a formé de bons ouvriers dont certains sont installés à Michelet même. Mais elle a en tout une dizaine d'élèves et ces expériences sont insuffisantes.

Il existe aussi des écoles d'arboriculture comme celle des Mechtras. Mais elle forme une trentaine d'élèves tous les deux ans. Il s'agit, là, d'une expérience, et non d'une institution.

Il faut maintenant généraliser ces tentatives, doter chaque centre d'une école de ce genre et éduquer techniquement un peuple dont l'adresse et l'esprit d'assimilation sont devenus proverbiaux.

Cependant, rien ne peut mieux montrer à quel point tous les problèmes se tiennent en Kabylie que cette simple remarque : il est inutile de faire des ouvriers qualifiés si on ne leur offre pas de débouchés. Or, ces débouchés, pour le moment, se trouvent dans la métropole. Et toute politique sera vaine qui ne facilitera pas l'émigration kabyle.

À cet égard, la première chose à faire est de simplifier les formalités et la seconde de diriger l'émigration. Il est possible, à l'heure actuelle, de faire bénéficier les Kabyles des expériences de paysannat. Je ne veux pas évoquer ici les offres faites par l'Office du Niger. Il n'y a pas d'utilité à ce que les paysans kabyles aillent mourir pour des intérêts privés dans un pays meurtrier. Mais la colonie, si elle le voulait, pourrait distribuer encore près de 200 000 hectares en Algérie.

En Kabylie même, près de Boghni, une expérience de ce genre est en cours dans les domaines de Bou-Mani. D'autre part, tout le sud de la France se dépeuple et il a fallu que des dizaines de milliers d'Italiens viennent coloniser notre propre sol.

Aujourd'hui, ces Italiens s'en vont. Rien n'empêche les Kabyles de coloniser cette région. On nous a dit : « Mais le Kabyle est trop attaché à ses montagnes pour les quitter. » Je répondrai d'abord en rappelant qu'il y a en France 50 000 Kabyles qui les ont quittées. Et je laisserai répondre ensuite un paysan kabyle à qui je posais la question et qui me répondit : « Vous oubliez que nous n'avons pas de quoi manger. Nous n'avons pas le choix. »

On nous dira alors : « Mais ces Kabyles reviendront dans leur patrie et abandonneront leurs terres. » Sans doute, mais qui ne voit que dans l'émigration kabyle, les générations se succèdent et que le propriétaire d'un terrain ne le laissera qu'après l'avoir vendu à un postulant plus jeune.

Ces quelques mesures, en tout cas, suffiront à rendre au travail kabyle tout son prix. Et je crois qu'il est bon de répéter que les crédits actuels pourraient suffire aux commencements de l'entreprise. Celle-ci sera devenue productive quand son extension deviendra inévitable. Mais les bénéfices d'une pareille politique ne sauraient être efficaces que si la revalorisation de la production se poursuit parallèlement.

Ici encore, le bon sens nous donnera les éléments d'une politique constructive. Exception faite pour quelques céréales secondaires, la production kabyle est avant tout arboricole. Et comme il est vain de chercher à forcer la nature, c'est cette production qu'il s'agit d'améliorer pour qu'elle puisse, autant que possible, équilibrer la consommation.

Jusqu'à preuve du contraire, il existe trois moyens de revaloriser une production. Le premier consiste à l'accroître en quantité ; le second à l'améliorer en qualité, et le troisième à stabiliser ses prix de vente. Les deux dernières méthodes souvent n'en font qu'une. Et les trois sont applicables à la Kabylie.

En ce qui concerne l'extension de l'arboriculture, il y a lieu de considérer d'abord l'extension des principales cultures arboricoles de la Kabylie, comme le figuier et l'olivier, et d'autre part, l'implantation de cultures complémentaires telles que le cerisier, le caroubier, etc. Sous ces deux aspects, cette politique de l'arbre a reçu un commencement d'application qu'on peut considérer comme un exemple et un enseignement, dans la commune de Port-Gueydon.

En 1938, la commune a favorisé la plantation de 1 000 nouvelles boutures. Cette année, 10 à 15 000 plantations sont envisagées. Et ceci s'est fait sans crédits extraordinaires. Le fonds commun de la Société indigène de prévoyance a garanti les prêts de boutures. Les plants ont été livrés aux fellahs à volonté. Auparavant, ils avaient pu vérifier la qualité et le rendement de ces plants dans des champs d'expérience installés sur les terrains communaux.

Comme le figuier, planté en boutures de deux ans, n'est productif qu'au bout de cinq, les fellahs, pendant cinq ans, ne paieront que l'intérêt du capital minime représenté par les boutures. Cet intérêt est seulement de 4 %. Au bout de cinq ans, le figuier commence à produire et le paysan kabyle a cinq nouvelles années pour amortir son capital.

Pour avoir une idée du rendement, il faut savoir que si cinq plants sur quinze réussissent seulement (et cette évaluation est invraisemblable), le fellah fait encore une excellente affaire. Et ce succès n'aura pratiquement rien coûté à l'État. Ceci se passe de commentaires. Qu'on généralise avec obstination cette expérience et les résultats ne se feront pas attendre.

En ce qui concerne l'amélioration des produits actuels et la revalorisation de leur prix de vente, la tâche est immense. Je ne parlerai ici que des méthodes essentielles : l'amélioration des figues sèches par les ateliers de séchage et la création des coopératives huilières. Il est certain que les méthodes de culture traditionnelles des Kabyles ne sont pas faites pour améliorer les rendements. La taille de l'olivier, trop semblable à une amputation, les boutures prélevées sans méthode, les claies de séchage de figues sur les toits et parfois sous des caroubiers qui communiquent aux fruits un parasite du genre teigne qui attaque la figue, tout cela n'est pas fait pour augmenter la qualité des produits.

Pour ces raisons, des expériences d'ateliers de séchage ont été entreprises dans beaucoup de communes. Les plus suggestives de ces expériences sont celles d'Azazga et de Sidi-Aïch. À Azazga, grâce aux procédés rationnels employés par les agents techniques de la S.I.P., la revalorisation, la première année, a été de 120 % et la seconde de 80 %. À Sidi-Aïch, les figues de l'atelier sont vendues au prix moyen de 260 francs le quintal pendant que les figues indigènes se vendaient 190 francs. En ce qui concerne les participants et les ventes totales, à

Azazga, 120 fellahs ont apporté leurs figues dont la vente a atteint 180 000 francs. Il en résulte qu'après les premières résistances, la majorité des fellahs est convertie à cette innovation. Une coopérative privée est en projet à Temda et celle-là sera dirigée par les producteurs eux-mêmes. Et ceci figure assez exactement l'avenir de la Kabylie à cet égard.

La création des huileries coopératives rencontre plus d'obstacles. Certains administrateurs ne peuvent s'y résoudre en raison de l'opposition des colons de la plaine qui préfèrent acheter l'olive à bas prix et non le produit fini à haut prix. D'autre part, les intermédiaires et les courtiers ne voient pas d'un bon œil cette innovation qui marquerait la fin de leur règne. Or, le Kabyle a besoin de crédit. Et il en trouve auprès des intermédiaires qui lui achètent à terme. Mais cette difficulté peut être résolue en couplant les huileries coopératives avec un organisme de crédit tel que le fonds commun des sociétés de prévoyance qui jouera le rôle d'intermédiaire au profit de la coopérative. Le dernier argument qu'on peut présenter alors réside dans la mentalité du paysan kabyle qui, dit-on, s'adressera malgré tout à l'intermédiaire. Mais cet argument sert à freiner toutes les innovations et il a toujours été indéfendable.

Le malheur, c'est que le paysan kabyle, par les méthodes de culture qu'il emploie, ne peut réaliser qu'une récolte d'olives sur deux. Et la création d'un organisme rationnel s'impose à cet égard. On peut être certain que la production ne serait pas loin d'être doublée. La qualité, d'autre part, ne pourrait que s'améliorer si l'on songe que les mouliniers européens actuels, pour forcer leur production, travaillent dans des conditions telles que leurs huiles ne titrent jamais moins de 1° 5 à 2° d'acidité et présentent toujours un goût désagréable.

Toute cette politique, enfin, ne saurait se dispenser de mesures complémentaires concernant les problèmes de détail. L'habitat, par exemple, pourrait être organisé sur le modèle des réalisations de la loi Loucheur. Et l'apport des intéressés serait fait alors soit en terrain (puisque presque tous les Kabyles possèdent un lopin de terre), soit en main-d'œuvre et en matériau. De même, il y aurait lieu de reconsidérer les répartitions des revenus communaux entre les populations européenne et indigène et de demander à la première les sacrifices nécessaires.

Ainsi se trouverait complétée une politique qui rendrait enfin à la Kabylie son vrai visage. L'affreuse misère de ce pays trouverait ici sa fin et aussi sa récompense. Je sais que, pour tout cela, des crédits sont nécessaires. Mais je le répète, commençons par mieux utiliser ceux qui existent déjà. Car ce n'est peut-être pas tant de crédits que nous manquons, que d'acharnement. Rien de grand ne se fait sans courage et lucidité. Pour mener cette politique à bien, il ne suffit pas de la vouloir de temps en temps. Il faut la vouloir toujours et ne vouloir qu'elle. J'entends bien qu'on me dit : « Il n'y a pas de raisons pour que ce soit la colonie et les colons qui paient. » Et j'en suis bien d'accord. N'attendons pas cette œuvre des colons, puisque nous ne sommes pas sûrs qu'ils la veuillent. Mais si l'on prétend que c'est à la métropole de faire cet effort, alors nous sommes deux fois d'accord. Car, du même coup, on fait la preuve qu'un régime qui sépare l'Algérie de la France fait le malheur de notre pays. Et le jour où les intérêts seront confondus, on peut être sûr que les cœurs et les esprits ne tarderont pas à l'être.

CONCLUSION

Je termine ici une enquête dont je voudrais
être sûr qu'elle servira bien la cause du peuple
kabyle, qui est la seule qu'on ait voulu servir.
Je n'ai plus rien à dire sur la misère de la Kabylie, ses causes et ses remèdes. J'aurais préféré
m'arrêter là et ne pas ajouter de mots inutiles
à un ensemble de faits qui doit pouvoir se passer de littérature. Mais de même qu'il eût été
préférable de n'avoir pas à parler d'une misère
aussi effroyable et que, cependant, l'existence
de cette misère imposait qu'on en parlât, de
même cette enquête ne saurait atteindre le but
qu'elle s'est fixé, si elle n'écarte, pour finir, certaines critiques trop faciles.

Je ne ferai pas de circonlocutions. Il paraît
que c'est, aujourd'hui, faire acte de mauvais
Français que de révéler la misère d'un pays
français. Je dois dire qu'il est difficile aujour-
d'hui de savoir comment être un bon Français.
Tant de gens, et des plus différents, se targuent

de ce titre, et parmi eux tant d'esprits médiocres ou intéressés, qu'il est permis de s'y tromper. Mais, du moins, on peut savoir ce que c'est qu'un homme juste. Et mon préjugé, c'est que la France ne saurait être mieux représentée et défendue que par des actes de justice.

On nous dit : « Prenez garde, l'étranger va s'en saisir. » Mais ceux qui, en effet, pourraient s'en saisir se sont déjà jugés à la face du monde par leur cynisme et leur cruauté. Et si la France peut être défendue contre eux, c'est autant par des canons que par cette liberté que nous avons encore de dire notre pensée et de contribuer, chacun pour notre modeste part, à réparer l'injustice.

Mon rôle n'est d'ailleurs point de chercher d'illusoires responsables. Je ne trouve pas de goût au métier d'accusateur. Et si même je m'y sentais porté, beaucoup de choses m'arrêteraient. Je sais trop, d'une part, ce que la crise économique a pu apporter à la détresse de la Kabylie pour en charger absurdement quelques victimes. Mais je sais trop aussi quelles résistances rencontrent les initiatives généreuses, de si haut qu'elles viennent quelquefois. Et je sais trop, enfin, comment une volonté, bonne en son principe, peut se trouver déformée dans ses applications.

Ce que j'ai essayé de dire, c'est que si on a voulu faire quelque chose pour la Kabylie, si on a fait quelque chose, cette tentative n'a abordé que des aspects infimes du problème et l'a laissé subsister tout entier. Ce n'est pas pour un parti que ceci est écrit, mais pour des hommes. Et si je voulais donner à cette enquête le sens qu'il faudrait qu'on lui reconnaisse, je dirais qu'elle n'essaie pas de dire : « Voyez ce que vous avez fait de la Kabylie », mais : « Voyez ce que vous n'avez pas fait de la Kabylie. »

En face des charités, des petites expériences, des bons vouloirs et des paroles superflues, qu'on mette la famine et la boue, la solitude et le désespoir. Et l'on verra si les premiers suffisent. Si, par un miracle invraisemblable, les 600 députés de la France pouvaient reparcourir l'itinéraire désespérant qu'il m'a été donné de faire, la cause kabyle ferait un grand pas en avant. Et c'est qu'en toute occasion, un progrès est réalisé chaque fois qu'un problème politique est remplacé par un problème humain. Qu'une politique lucide et concertée s'applique donc à réduire cette misère, que la Kabylie retrouve, elle aussi, le chemin de la vie, et nous serons les premiers à exalter une œuvre dont aujourd'hui nous ne sommes pas fiers.

*

Je ne puis m'empêcher, enfin, de me retourner vers le pays que je viens de parcourir. Et c'est lui et lui seul qui peut ici me donner une conclusion. Car, de ces longues journées empoisonnées de spectacles odieux, au milieu d'une nature sans pareille, ce ne sont pas seulement les heures désespérantes qui me reviennent, mais aussi certains soirs où il me semblait que je comprenais profondément ce pays et son peuple.

Tel ce soir, où, devant la Zaouïa de Koukou, nous étions quelques-uns à errer dans un cimetière de pierres grises et à contempler la nuit qui tombait sur la vallée. À cette heure qui n'était plus le jour et pas encore la nuit, je ne sentais pas ma différence d'avec ces êtres qui s'étaient réfugiés là pour retrouver un peu d'eux-mêmes. Mais cette différence, il me fallait bien la sentir quelques heures plus tard à l'heure où tout le monde aurait dû manger.

Eh bien, c'était là que je retrouvais le sens de cette enquête. Car, si la conquête coloniale pouvait jamais trouver une excuse, c'est dans la mesure où elle aide les peuples conquis à garder leur personnalité. Et si nous avons un devoir en ce pays, il est de permettre à l'une des populations les plus fières et les plus humaines en ce monde de rester fidèle à elle-même et à son destin.

Le destin de ce peuple, je ne crois pas me tromper en disant qu'il est à la fois de travailler et de contempler, et de donner par là des leçons de sagesse aux conquérants inquiets que nous sommes. Sachons du moins nous faire pardonner cette fièvre et ce besoin de pouvoir, si naturel aux médiocres, en prenant sur nous les charges et les besoins d'un peuple plus sage, pour le livrer tout entier à sa grandeur profonde.

CRISE EN ALGÉRIE [1]

1. Articles parus dans *Combat*, en mai 1945.

CRISE EN ALGÉRIE

Devant les événements qui agitent aujour-d'hui l'Afrique du Nord, il convient d'éviter deux attitudes extrêmes. L'une consisterait à présenter comme tragique une situation qui est seulement sérieuse. L'autre reviendrait à ignorer les graves difficultés où se débat aujour-d'hui l'Algérie.

La première ferait le jeu des intérêts qui désirent pousser le gouvernement à des mesures répressives, non seulement inhumaines, mais encore impolitiques. L'autre continuerait d'agrandir le fossé qui, depuis tant d'années, sépare la métropole de ses territoires africains. Dans les deux cas, on servirait une politique à courte vue, aussi contraire aux intérêts français qu'aux intérêts arabes.

L'enquête que je rapporte d'un séjour de trois semaines en Algérie n'a pas d'autre ambition que de diminuer un peu l'incroyable ignorance de la métropole en ce qui concerne l'Afrique du Nord. Elle a été menée aussi objectivement que je le pouvais, à la suite d'une randonnée de 2 500 kilomètres sur les côtes et à l'intérieur de l'Algérie, jusqu'à la limite des territoires du Sud.

J'y ai visité aussi bien les villes que les douars les plus reculés, y confrontant les opinions et les témoignages de l'administration et du paysan indigène, du colon et du militant arabe. Une bonne politique est d'abord une politique bien informée. À cet égard, cette enquête n'est rien de plus qu'une enquête. Mais, si les éléments d'information que j'apporte ainsi ne sont pas nouveaux, ils ont été vérifiés. J'imagine qu'ils peuvent donc aider, dans une certaine mesure, ceux qui ont pour tâche aujourd'hui d'imaginer la seule politique qui sauvera l'Algérie des pires aventures.

Mais avant d'entrer dans le détail de la crise nord-africaine, il convient peut-être de détruire quelques préjugés. Et, d'abord, de rappeler aux Français que l'Algérie existe. Je veux dire par là qu'elle existe en dehors de la France et que les problèmes qui lui sont propres ont une couleur et une échelle particulières. Il est impossible, en conséquence, de prétendre résoudre ces problèmes en s'inspirant de l'exemple métropolitain.

Un seul fait illustrera cette affirmation. Tous les Français ont appris à l'école que l'Algérie, rattachée au ministère de l'Intérieur, est constituée par trois départements. Administrativement, cela est vrai. Mais, en vérité, ces trois départements sont vastes comme quarante départements français moyens, et peuplés comme douze. Le résultat est que l'administration métropolitaine croit avoir fait beaucoup lorsqu'elle expédie deux mille tonnes de céréales sur l'Algérie. Mais, pour les huit millions d'habitants de ce pays, cela représente exactement une journée de consommation. Le lendemain, il faut recommencer.

Sur le plan politique, je voudrais rappeler aussi que le peuple arabe existe. Je veux dire par là qu'il n'est pas cette foule anonyme et misérable, où l'Occidental ne voit rien à respecter ni à défendre. Il s'agit au contraire d'un peuple de grandes traditions et dont les vertus, pour peu qu'on veuille l'approcher sans préjugés, sont parmi les premières.

Ce peuple n'est pas inférieur, sinon par la condition de vie où il se trouve, et nous avons des leçons à prendre chez lui, dans la mesure même où il peut en prendre chez nous. Trop de Français, en Algérie ou ailleurs, l'imaginent par exemple comme une masse amorphe que rien n'intéresse. Un seul fait encore les renseignera. Dans les douars les plus reculés, à huit cents kilomètres de la côte, j'ai eu la surprise d'entendre prononcer le nom de M. Wladimir d'Ormesson. C'est que notre confrère a publié sur la question algérienne, il y a quelques semaines, un article que les musulmans ont jugé mal informé et injurieux. Je ne sais pas si le collaborateur du *Figaro* se réjouira de cette réputation obtenue aussi promptement en pays arabe. Mais elle donne la mesure de l'éveil politique qui est celui des masses musulmanes. Quand j'aurai enfin noté ce que trop de Français ignorent, à savoir que des centaines de milliers d'Arabes viennent de se battre durant deux ans pour la libération de notre territoire, j'aurai acquis le droit de ne pas insister.

Tout ceci, en tout cas, doit nous apprendre à ne rien préjuger de ce qui concerne l'Algérie et à nous garder des formules toutes faites. De ce point de vue, les Français ont à conquérir l'Algérie une deuxième fois. Pour dire tout de suite l'impression que je rapporte de là-bas, cette deuxième conquête sera moins facile que la première. En Afrique du Nord comme en France, nous avons à inventer de nouvelles formules et à rajeunir nos méthodes si nous voulons que l'avenir ait encore un sens pour nous.

L'Algérie de 1945 est plongée dans une crise économique et politique qu'elle a toujours connue, mais qui n'avait jamais atteint ce degré d'acuité. Dans cet admirable pays qu'un printemps sans égal couvre en ce moment de ses fleurs et de sa lumière, des hommes souffrent de faim et demandent la justice. Ce sont des souffrances qui ne peuvent nous laisser indifférents, puisque nous les avons connues.

Au lieu d'y répondre par des condamnations, essayons plutôt d'en comprendre les raisons et de faire jouer à leur propos les principes démocratiques que nous réclamons pour nous-mêmes. Mon projet, dans les articles qui suivront, est d'appuyer cette tentative, par le simple exercice d'une information objective.

P.-S. – Cet article était terminé lorsqu'a paru dans un journal du soir un article accusant Ferhat Abbas, président des « Amis du Manifeste », d'avoir organisé directement les troubles d'Algérie. Cet article est visiblement fait à Paris, au moyen de renseignements improvisés. Mais il n'est pas possible de porter aussi légèrement une accusation aussi grave. Il y a beaucoup à dire pour et contre Ferhat Abbas et son parti. Nous en parlerons en effet. Mais les journalistes français doivent se persuader qu'on ne réglera pas un si grave problème par des appels inconsidérés à une répression aveugle.

LA FAMINE EN ALGÉRIE

La crise apparente dont souffre l'Algérie est d'ordre économique.

Alger, déjà, présente au visiteur attentif des signes non équivoques. Les plus grandes brasseries vous font boire dans des fonds de bouteilles dont on a limé les bords. Les hôtels vous offrent des cintres en fil de fer. Dans leurs vitrines, les magasins démolis par les bombardements ont remplacé le verre par le madrier. Chez les particuliers, il n'est pas rare de voir transporter dans la chambre à coucher l'ampoule qui éclaira le dîner. Crise d'objets manufacturés, sans doute, puisque l'Algérie n'a pas d'industrie. Mais surtout crise d'importation, et nous allons en mesurer les effets.

Ce qu'il faut crier le plus haut possible c'est que la plus grande partie des habitants d'Algérie connaissent la famine. C'est cela qui explique les graves événements que l'on connaît, et c'est à cela qu'il faut porter remède. En arrondissant les chiffres, on peut évaluer à neuf millions le nombre des habitants de l'Algérie. Sur ces neuf millions, il faut compter huit millions d'Arabo-Berbères pour un million d'Européens. La plus grande partie de la population arabe est répartie à travers l'immense campagne algérienne dans des douars que la colonisation française a réunis en communes mixtes. La nourriture de base de l'Arabe, c'est le grain (de blé ou d'orge), qu'il consomme sous forme de semoule ou de galettes. Faute de grains, des millions d'Arabes souffrent de la faim.

La famine est un fléau toujours redouté en Algérie, où les récoltes sont aussi capricieuses que les pluies. Mais en temps ordinaire, les stocks de sécurité prévus par l'administration française compensaient les sécheresses. Ces stocks de sécurité n'existent plus en Algérie depuis qu'ils ont été dirigés sur la métropole au bénéfice des Allemands. Le peuple algérien était donc à la merci d'une mauvaise récolte.

Ce malheur est arrivé. Un seul fait en donnera l'idée. Sur tous les hauts plateaux de l'Algérie, il n'a pas plu depuis janvier. Ces terres démesurées sont couvertes d'un blé à tête légère qui ne dépasse pas les coquelicots que l'on aperçoit jusqu'à l'horizon. La terre, craquelée comme une lave, est à ce point desséchée que, pour les semailles de printemps, il a fallu doubler les attelages. La charrue déchiquette un sol friable et poussiéreux qui ne retiendra rien du grain qu'on lui confiera. La récolte que l'on prévoit pour cette saison sera pire que la dernière, qui fut pourtant désastreuse.

On me pardonnera de donner ici quelques chiffres. Les besoins normaux de l'Algérie, en grains, sont de 18 millions de quintaux. En règle générale, la production couvre à peu près la consommation, puisque la récolte de la saison 1935-1936 fut, par exemple, de 17 371 000 quintaux de toutes céréales. Mais la saison dernière atteignit à peine 8 715 000 quintaux, c'est-à-dire 40 % des besoins normaux. Cette année-ci, les prévisions sont encore plus pessimistes, puisqu'on s'attend à une récolte qui ne dépassera pas 6 millions de quintaux.

La sécheresse n'explique pas seule cette effrayante pénurie. Il faut y ajouter la diminution des emblavures, parce qu'il y a moins de semences, et aussi parce que le fourrage n'étant pas taxé, certains propriétaires inconscients ont préféré le cultiver plutôt que les indispensables céréales. Il faut tenir compte encore des difficultés techniques du moment : usure du matériel (un sac qui coûtait 20 francs en coûte 500), rationnement du carburant, mobilisation de la main-d'œuvre à l'extérieur. Si l'on ajoute à tous ces facteurs l'augmentation de la consommation du fait du rationnement des autres denrées, on comprendra qu'isolée du monde extérieur, l'Algérie ne trouve pas sur son sol de quoi faire vivre sa population.

Ce qu'on peut apercevoir de cette famine, en ce moment, a de quoi serrer le cœur. L'administration a dû réduire à 7 kg 500 par tête et par mois l'attribution de grains (les ouvriers agricoles en touchent 18 kg de leur patron, mais il s'agit d'une minorité). Cela fait 250 grammes par jour, ce qui est peu pour des hommes dont le grain est la seule nourriture.

Mais cette ration de famine, dans la majorité des cas, n'a pu être honorée. En Kabylie, dans l'Ouarsenis, dans le Sud Oranais, dans l'Aurès, pour prendre des points géographiques distants les uns des autres, on n'a pu distribuer que 4 à 5 kg par mois, c'est-à-dire 130 à 150 grammes par jour et par personne.

Comprend-on bien ce que cela veut dire ? Comprend-on que, dans ce pays, où le ciel et la terre invitent au bonheur, des millions d'hommes souffrent de la faim ? Sur toutes les routes, on peut rencontrer des silhouettes haillonneuses et hâves. Au hasard des parcours, on peut

voir des champs bizarrement retournés et grat-
tés. C'est que des douars entiers sont venus y
fouiller le sol pour en tirer une racine amère
mais comestible, appelée la « tarouda » et qui,
transformée en bouillie, soutient, du moins, si
elle ne nourrit pas.

Qu'y faire ? dira-t-on. Sans doute le problème est difficile. Mais il n'y a pas une minute
à perdre, ni un intérêt à épargner, si l'on veut
sauver ces populations malheureuses et si l'on
veut empêcher que des masses affamées, exci-
tées par quelques fous criminels, recommen-
cent le massacre de Sétif. Je dirai dans mon
prochain article les injustices qu'il faut faire
disparaître et les mesures d'urgence qu'il faut
provoquer sur le plan économique.

DES BATEAUX
ET DE LA JUSTICE

Pour des millions d'Algériens qui souffrent en ce moment de la faim, que pouvons-nous faire ? On n'a pas besoin d'avoir d'exceptionnelles clartés politiques pour déclarer que, seule, une politique d'importation à grande échelle changera la situation.

Le gouvernement vient d'annoncer qu'un million de quintaux de blé vont être distribués en Algérie. Cela est bien. Mais il ne faut pas oublier que ces quantités vont couvrir seulement, et à peu près, la consommation d'un mois. On ne pourra pas éviter, le mois prochain et chaque mois qui suivra, d'injecter à l'Algérie les mêmes quantités de grains. Ce problème d'importation ne doit donc pas être considéré comme résolu, mais poursuivi au contraire avec la dernière énergie.

À la vérité, je n'ignore pas les difficultés de l'entreprise. Pour rétablir la situation, alimenter convenablement la population arabe et supprimer le marché noir, il faudrait importer 12 millions de quintaux. Cela représente 240 bateaux de 5 000 tonnes chacun. Dans l'état où nous a laissés la guerre, tout le monde comprendra ce que cela signifie. Mais dans l'urgence où nous sommes placés, il faut bien voir aussi que rien ne peut nous arrêter et que nous devons demander ces bateaux au monde entier, s'il le faut. Quand des millions d'hommes souffrent de la faim, cela devient l'affaire de tous.

Nous n'aurons cependant pas tout fait quand nous aurons fait cela, car la gravité de l'affaire algérienne ne tient pas seulement au fait que les Arabes ont faim. Elle tient aussi à la conviction où ils sont que leur faim est injuste. Il ne suffira pas, en effet, de donner à l'Algérie le grain dont elle a besoin, il faudra encore le répartir équitablement. J'aurais préféré ne point l'écrire, mais il est vrai que cela n'est pas fait.

On en aura une première preuve en sachant que dans ce pays, où le grain est presque aussi rare que l'or, on en trouve au marché noir. Dans la plupart des communes que j'ai visitées, alors que le prix de la taxe est de 540 francs le quintal, on obtient du grain clandestin à des prix qui varient entre 7 000 et 16 000 francs le quintal[1]. Ce marché noir est alimenté par les blés soustraits aux réquisitions par des colons inconscients ou des féodaux indigènes.

Par ailleurs, même le grain qu'on livre aux organismes collecteurs n'est pas également distribué. L'institution du caïdat, si néfaste, continue à faire ses preuves. Car les caïds, qui sont des sortes d'intendants de l'administration française, et à qui l'on confie trop souvent les distributions, les conduisent suivant des méthodes très personnelles. Les répartitions opérées par l'administration française elle-même, quoique insuffisantes, sont toujours honnêtes. Celles qui sont faites par les caïds sont toujours inégales, et le plus souvent inspirées par l'intérêt et le favoritisme.

Enfin, et c'est le point le plus douloureux, dans toute l'Algérie la ration attribuée à l'indigène est inférieure à celle qui est consentie à l'Européen. Elle l'est dans le principe, puisque le Français a droit à 300 grammes par jour et l'Arabe à 250 grammes. Elle l'est encore plus dans les faits, puisque, nous l'avons dit, l'Arabe touche 100 à 150 grammes.

Cette population, animée d'un sens si sûr et si instinctif de la justice, accepterait peut-être le

1. Pour fixer les idées, le blé à 10 000 francs le quintal met le kilo de pain à 120 francs environ. Le salaire quotidien de l'ouvrier arabe est de 60 francs en moyenne.

principe. Mais elle n'admet pas (et devant moi, elle l'a toujours souligné) que les rations de principe ayant dû être restreintes, seules les rations arabes aient été diminuées. Un peuple qui ne marchande pas son sang dans les circonstances actuelles est fondé à penser qu'on ne doit pas lui marchander son pain.

Cette inégalité de traitement s'ajoute à quelques autres pour créer un malaise politique, dont j'aurai à traiter dans de prochains articles. Mais, à l'intérieur du problème économique qui m'intéresse ici, elle envenime encore une situation déjà assez grave par elle-même, et elle ajoute aux souffrances des indigènes une amertume qu'il était possible d'éviter.

Calmer la plus cruelle des faims et guérir ces cœurs exaspérés, voilà la tâche qui s'impose à nous aujourd'hui. Des centaines de bateaux de céréales et deux ou trois mesures d'égalité rigoureuses, c'est ce que nous demandent immédiatement des millions d'hommes dont on comprendra peut-être maintenant qu'il faut essayer de les comprendre avant de les juger.

LE MALAISE POLITIQUE

Si grave et si urgente que soit la pénurie économique dont souffre l'Afrique du Nord, elle n'explique pas, à elle seule, la crise politique algérienne. Si nous en avons parlé d'abord, c'est que la faim prime tout. Mais, à la vérité, le malaise politique est antérieur à la famine. Et lorsque nous aurons fait ce qu'il faut pour alimenter la population algérienne, il nous restera encore tout à faire. C'est une façon de dire qu'il nous restera à imaginer enfin une politique.

Je n'aurai pas la prétention de définir en deux ou trois articles une politique nord-africaine. Personne ne m'en saurait gré et la vérité n'y gagnerait pas. Mais la politique algérienne est à ce point déformée par les préjugés et les ignorances que c'est déjà faire beaucoup pour elle, si l'on en présente un tableau objectif par le moyen d'une information vérifiée. C'est ce tableau que je voudrais entreprendre.

J'ai lu dans un journal du matin que 80 %
des Arabes désiraient devenir des citoyens
français. Je résumerai au contraire l'état actuel
de la politique algérienne en disant qu'ils le désiraient effectivement, mais qu'ils ne le désirent
plus. Quand on a longtemps vécu d'une espérance et que cette espérance a été démentie, on
s'en détourne et l'on en perd jusqu'au désir.
C'est ce qui est arrivé avec les indigènes algériens, et nous en sommes les premiers responsables.

Depuis la conquête, il n'est pas possible de
dire que la doctrine française coloniale en Algérie se soit montrée très cohérente. J'épargne-
rai au lecteur l'historique de ses fluctuations
depuis la notion du royaume arabe, chère au
second Empire, jusqu'à celle d'assimilation.
C'est cette dernière idée qui, en théorie, a fini
par triompher. Depuis une cinquantaine d'années, le but avoué de la France en Afrique du
Nord était d'ouvrir progressivement la citoyen-
neté française à tous les Arabes. Disons tout de
suite que cela est resté théorique. La politique
d'assimilation a rencontré en Algérie même, et
principalement auprès des grands colons, une
hostilité qui ne s'est jamais démentie.

Il existe tout un arsenal d'arguments, dont
certains d'apparence convaincante, qui ont suffi

jusqu'à présent à immobiliser l'Algérie dans l'état politique où nous l'avons trouvée. Je ne songerai pas à discuter ces arguments. Mais il est possible de dire qu'en cette matière, comme en d'autres, il faut un jour choisir. La France devait dire clairement si elle considérait l'Algérie comme une terre conquise dont les sujets, privés de tous droits et gratifiés de quelques devoirs supplémentaires, devaient vivre dans notre dépendance absolue, ou si elle attribuait à ses principes démocratiques une valeur assez universelle pour qu'elle pût les étendre aux populations dont elle avait la charge.

La France, et c'est à son honneur, a choisi. Ayant choisi, et pour que les mots aient un sens, il fallait aller jusqu'au bout. Des intérêts particuliers se sont opposés à cette entreprise et se sont essayés à arrêter l'histoire. Mais l'histoire est toujours en mouvement et les peuples évoluent en même temps qu'elle. Aucune situation historique n'est jamais définitive. Et si l'on ne veut pas adopter l'allure de ses variations, il faut se résigner à la laisser échapper. C'est pour avoir ignoré ces vérités élémentaires que la politique française en Algérie est toujours de vingt ans en retard sur la situation réelle. Un exemple fera comprendre la chose.

En 1936, le projet Blum-Viollette a marqué le premier pas fait en avant, après dix-sept ans de stagnation, vers la politique d'assimilation.

Il n'avait rien de révolutionnaire. Il revenait à conférer les droits civiques et le statut d'électeur à 60 000 musulmans environ. Ce projet, relativement modeste, souleva un immense espoir parmi les populations arabes. La quasi-totalité de ces masses, réunies dans le Congrès algérien, affirmait alors son accord. Les grands colons, groupés dans les Délégations financières et dans l'Association des maires d'Algérie, opérèrent une telle contre-offensive que le projet ne fut même pas présenté devant les Chambres.

Ce grand espoir déçu a naturellement entraîné une désaffection aussi radicale. Aujourd'hui, le gouvernement français propose à l'Algérie l'ordonnance du 7 mars 1944, qui reprend à peu près dans ses dispositions électorales le projet Blum-Viollette.

Cette ordonnance, si elle était appliquée réellement, donnerait le droit de vote à près de 80 000 musulmans. Elle accorde aussi la suppression du statut juridique exceptionnel des Arabes, suppression pour laquelle les démocrates de l'Afrique du Nord ont lutté pendant des années. L'Arabe n'était en effet soumis ni au même code pénal que le Français, ni aux mêmes tribunaux. Des juridictions d'exception plus sévères et plus expéditives le maintenaient

dans une sujétion constante. L'ordonnance a
supprimé cet abus et cela est un grand bien.

Mais l'opinion arabe, qui a été douchée,
reste méfiante et réservée, malgré tout ce que
ce projet comporte de bienfaisant. C'est que
l'histoire, justement, a marché. Il y a eu la défaite et la perte du prestige français. Il y a eu
le débarquement de 1942 qui a mis les Arabes
au contact d'autres nations et qui leur a donné
le goût de la comparaison. Il y a enfin la Fédération panarabe, dont on ne peut ignorer
qu'elle est une séduction perpétuelle pour les
populations nord-africaines. Il y a enfin la misère qui accroît les rancœurs. Tout cela fait
qu'un projet qui aurait été accueilli avec en-
thousiasme en 1936, et qui aurait arrangé bien
des choses, ne rencontre plus aujourd'hui que
méfiance. Nous sommes encore en retard.
Les peuples n'aspirent généralement au droit
politique que pour commencer et achever leurs
conquêtes sociales. Si le peuple arabe voulait
voter, c'est qu'il savait qu'il pourrait obtenir
ainsi, par le libre exercice de la démocratie, la
disparition des injustices qui empoisonnent le
climat politique de l'Algérie. Il savait qu'il
ferait disparaître l'inégalité des salaires et des
pensions, celles, plus scandaleuses, des pensions, des allocations militaires et, d'une façon

générale, de tout ce qui le maintient dans une situation inférieure. Mais ce peuple semble avoir perdu sa foi dans la démocratie dont on lui a présenté une caricature. Il espère atteindre autrement un but qui n'a jamais changé et qui est le relèvement de sa condition.

C'est pourquoi l'opinion arabe, si j'en crois mon enquête, est, dans sa majorité, indifférente ou hostile à la politique d'assimilation. On ne le regrettera jamais assez. Mais avant de décider ce qu'il convient de faire pour améliorer cette situation, il faut définir clairement le climat politique qui est devenu celui de l'Algérie.

De nombreux horizons ont été ouverts aux Arabes et, comme il est constant dans l'histoire des peuples que chacune de leurs aspirations trouve son expression politique, l'opinion musulmane d'aujourd'hui s'est groupée autour d'une personnalité remarquable, Ferhat Abbas, et de son parti, *les Amis du Manifeste*. Je parlerai dans mon prochain article de cet important mouvement, le plus original et le plus significatif qu'on ait vu paraître en Algérie, depuis les débuts de la conquête.

LE PARTI DU MANIFESTE

J'ai dit, dans mon dernier article, qu'une grande partie des indigènes nord-africains, désespérant du succès de la politique d'assimilation, mais pas encore gagnés par le nationalisme pur, s'étaient tournés vers un nouveau parti, les « Amis du Manifeste ». Il me paraît donc utile de faire connaître aux Français ce parti, avec lequel, qu'on lui soit hostile ou favorable, il faut bien compter.

Le président de ce mouvement est Ferhat Abbas, originaire de Sétif, diplômé d'université en pharmacie, et qui était, avant la guerre, un des partisans les plus résolus de la politique d'assimilation. À cette époque, il dirigeait un journal, *L'Entente*, qui défendait le projet Blum-Viollette et demandait que soit enfin instaurée en Algérie une politique démocratique où l'Arabe trouvât des droits équivalents à ses devoirs.

Aujourd'hui, Ferhat Abbas, comme beaucoup de ses coreligionnaires, tourne le dos à l'assimilation. Son journal, *Égalité*, dont le rédacteur en chef, Aziz Kessous, est un socialiste, ancien partisan, lui aussi, de l'assimilation, réclame la reconnaissance d'une nation[1] algérienne liée à la France par les liens du fédéralisme. Ferhat Abbas a une cinquantaine d'années. C'est incontestablement un produit de la culture française. Son premier livre portait en épigraphe une citation de Pascal. Ce n'est pas un hasard. Cet esprit est en vérité pascalien par un mélange assez réussi de logique et de passion. Une formule comme celle-ci : « La France sera libre et forte de nos libertés et de notre force » est dans le style français. C'est à notre culture que Ferhat Abbas la doit et il en est conscient. Il n'est pas jusqu'à son humour qui ne porte la même marque, quand il imprime en gros caractères, dans *Égalité*, cette petite annonce classée : « Échangeons cent seigneurs féodaux de toutes races contre cent mille instituteurs et techniciens français. »

Cet esprit cultivé et indépendant a suivi l'évolution qui a été celle de son peuple et il a traduit cet ensemble d'aspirations dans un manifeste publié le 10 février 1943 et qui fut accepté par le général Catroux comme base de discussion.

1. Ferhat Abbas parlait exactement d'une république algérienne.

Que dit ce manifeste ? À la vérité, pris isolément, ce texte se borne à une critique précise de la politique française en Afrique du Nord et à l'affirmation d'un principe. Ce principe constate l'échec de la politique d'assimilation et la nécessité de reconnaître une nation algérienne, reliée à la France, mais munie de caractéristiques propres. « Cette politique d'assimilation, dit le manifeste, apparaît aujourd'hui aux yeux de tous comme une *réalité inaccessible* (c'est moi qui souligne) et une machine dangereuse mise au service de la colonisation. » Fort de ce principe, le manifeste demande pour l'Algérie une constitution propre, qui assurera aux Algériens tous les droits démocratiques et une représentation parlementaire personnelle. Un additif au manifeste, en date du 26 mai 1943, et deux textes plus récents d'avril et de mai 1945 ont précisé encore ce point de vue. Ils demandaient la reconnaissance, à la fin des hostilités, d'un État algérien, avec une constitution propre, élaborée par une assemblée constituante qui serait élue au suffrage universel par tous les habitants de l'Algérie.

Le gouvernement général cesserait d'être alors une administration pour devenir un véritable gouvernement ou les postes seraient également répartis entre ministres français et ministres arabes.

Quant à l'assemblée, les Amis du Manifeste étaient conscients de l'hostilité qu'aurait rencontrée en France l'idée d'une représentation exactement proportionnelle, puisque, l'Algérie étant peuplée de huit Arabes pour un Français, l'assemblée serait véritablement un Parlement arabe. En conséquence, ils acceptaient que leur constitution fût composée de cinquante pour cent d'élus musulmans et de cinquante pour cent d'élus européens. Désireux de ménager les susceptibilités françaises, ils admettaient que les attributions de l'assemblée ne concerneraient que les questions administratives, sociales, financières et économiques, remettant au pouvoir central de Paris tous les problèmes de sécurité extérieure, d'organisation militaire et de diplomatie. Bien entendu, cette thèse fondamentale s'accompagne de revendications sociales, qui visent toutes à faire entrer la démocratie la plus complète dans la politique arabe. Mais je crois avoir dit l'essentiel et ne pas avoir trahi la pensée des Amis du Manifeste.

Dans tous les cas, c'est autour de ces idées et de celui qui les représente qu'une grande partie de l'opinion musulmane s'est réunie. Ferhat Abbas a groupé des hommes et des mouvements très divers, comme la secte des Oulémas, intellectuels musulmans qui prêchent une réforme rationaliste de l'Islam et qui étaient jusqu'ici partisans de l'assimilation, ou des militants socialistes, par exemple. Il est très évident aussi que des éléments du parti populaire algérien, parti nationaliste arabe dissous en 1936, mais qui poursuit illégalement sa propagande pour le séparatisme algérien, sont entrés dans les Amis du Manifeste qu'ils considéraient comme une bonne plate-forme d'action.

Il se peut que ce soit eux qui aient compromis les Amis du Manifeste dans les troubles récents. Mais je sais, de source directe, que Ferhat Abbas est un esprit politique trop averti pour avoir conseillé ou souhaité de pareils excès, dont il n'ignorait pas qu'ils renforceraient en Algérie la politique de réaction. L'homme qui a écrit : « Pas un Africain ne mourra pour Hitler » a donné sur ce sujet des garanties suffisantes.

Le lecteur pensera ce qu'il voudra du programme que je viens de présenter. Mais quelles que soient les opinions, il faut savoir que ce programme existe et qu'il est entré profondément dans les aspirations politiques arabes.

Si l'administration française avait décidé de ne pas suivre le général Catroux dans l'approbation de principe qu'il donnait au manifeste, il lui était possible de remarquer que toute la construction politique du manifeste tire sa force du fait qu'il considère l'assimilation comme une « réalité inaccessible ». Elle aurait peut-être conclu alors qu'il suffisait de faire que cette réalité devînt accessible pour enlever tout argument aux Amis du Manifeste. On a préféré y répondre par la prison et la répression. C'est une pure et simple stupidité.

CONCLUSION

Un moment secouée, l'opinion française se détourne des affaires d'Algérie. Elle s'en détourne et, profitant de cet assoupissement, des articles paraissent dans différents journaux qui tendent à démontrer que ce n'est pas si grave, que la crise politique n'est pas générale et qu'elle est due seulement à quelques agitateurs professionnels. Ce n'est pas que ces articles se distinguent par leur documentation ou leur objectivité. L'un attribue au président des « Amis du Manifeste », récemment arrêté, la paternité du parti populaire algérien, dont le chef, depuis de longues années, est Messali Hadj, arrêté lui aussi. L'autre fait des Oulémas une organisation politique à but nationaliste, quand il s'agit d'une confrérie réformiste, qui fut d'ailleurs acquise à la politique d'assimilation jusqu'en 1938.

Personne n'a rien à gagner à ces enquêtes hâtives et mal informées, ni d'ailleurs aux études inspirées qui ont paru ailleurs. Il est vrai que le massacre algérien ne s'explique pas sans la présence d'agitateurs professionnels. Mais il n'est pas moins vrai que ces agitateurs auraient été sans action appréciable s'ils n'avaient pu se prévaloir d'une crise politique sur laquelle il est vain et dangereux de se boucher les yeux.

Cette crise politique, qui dure depuis tant d'années, n'a pas disparu par miracle. Elle s'est au contraire durcie et toutes les informations qui viennent d'Algérie laissent penser qu'elle est établie aujourd'hui dans une atmosphère de haine et de défiance qui ne peut rien améliorer. Les massacres de Guelma et de Sétif ont provoqué chez les Français d'Algérie un ressentiment profond et indigné. La répression qui a suivi a développé dans les masses arabes un sentiment de crainte et d'hostilité. Dans ce climat, une action politique qui serait à la fois ferme et démocratique voit diminuer ses chances de succès.

Mais ce n'est pas une raison pour en désespérer. Le ministère de l'Économie nationale a envisagé des mesures de ravitaillement qui, si elles sont continuées, suffiront à redresser une situation économique désastreuse. Mais le gouvernement doit maintenir et étendre l'ordonnance du 7 mars 1944 et fournir ainsi aux masses arabes la preuve qu'aucun ressentiment n'entravera jamais son désir d'exporter en Algérie le régime démocratique dont jouissent les Français. Mais ce ne sont pas des discours qu'il faut exporter, ce sont des réalisations. Si nous voulons sauver l'Afrique du Nord, nous devons marquer à la face du monde notre résolution d'y faire connaître la France par ses meilleures lois et ses hommes les plus justes. Nous devons marquer cette résolution et, quelles que soient les circonstances ou les campagnes de presse, nous devons nous y tenir. Persuadons-nous bien qu'en Afrique du Nord comme ailleurs on ne sauvera rien de français sans sauver la justice.

Ce langage, nous l'avons bien vu, ne plaira pas à tout le monde. Il ne triomphera pas si aisément des préjugés et des aveuglements. Mais nous continuons à penser qu'il est raisonnable et modéré. Le monde aujourd'hui sue la haine de toutes parts. Partout, la violence et la force, les massacres et les clameurs obscurcissent un air que l'on croyait délivré de son poison le plus terrible. Tout ce que nous pouvons faire pour la vérité, française et humaine, nous avons à le faire contre la haine. À tout prix, il faut apaiser ces peuples déchirés et tourmentés par de trop longues souffrances. Pour nous, du moins, tâchons de ne rien ajouter aux rancœurs algériennes. C'est la force infinie de la justice, et elle seule, qui doit nous aider à reconquérir l'Algérie et ses habitants.

LETTRE
À UN MILITANT
ALGÉRIEN [1]

1. M. Aziz Kessous, socialiste algérien, ex-membre du parti du Manifeste, s'était proposé de lancer après que la rébellion eût éclaté, un journal, *Communauté algérienne*, qui, dépassant le double fanatisme dont souffre aujourd'hui l'Algérie, puisse aider à la constitution d'une communauté vraiment libre. Cette lettre a paru dans le premier numéro du journal, le 1er octobre 1955.

Mon cher Kessous,

J'ai trouvé vos lettres à mon retour de vacances et je crains que mon approbation ne vienne bien tard. J'ai pourtant besoin de vous la dire. Car vous me croirez sans peine si je vous dis que j'ai mal à l'Algérie, en ce moment, comme d'autres ont mal aux poumons. Et depuis le 20 août, je suis prêt à désespérer.

Supposer que les Français d'Algérie puissent maintenant oublier les massacres de Philippeville et d'ailleurs, c'est ne rien connaître au cœur humain. Supposer, inversement, que la répression une fois déclenchée puisse susciter dans les masses arabes la confiance et l'estime envers la France est un autre genre de folie. Nous voilà donc dressés les uns contre les autres, voués à nous faire le plus de mal possible, inexpiablement. Cette idée m'est insupportable et empoisonne aujourd'hui toutes mes journées.

Et pourtant, vous et moi, qui nous ressemblons tant, de même culture, partageant le même espoir, fraternels depuis si longtemps, unis dans l'amour que nous portons à notre terre, nous savons que nous ne sommes pas des ennemis et que nous pourrions vivre heureusement, ensemble, sur cette terre qui est la nôtre. Car elle est la nôtre et je ne peux pas plus l'imaginer sans vous et vos frères que sans doute vous ne pouvez la séparer de moi et de ceux qui me ressemblent.

Vous l'avez très bien dit, mieux que je ne le dirai : nous sommes condamnés à vivre ensemble. Les Français d'Algérie, dont je vous remercie d'avoir rappelé qu'ils n'étaient pas tous des possédants assoiffés de sang, sont en Algérie depuis plus d'un siècle et ils sont plus d'un million. Cela seul suffit à différencier le problème algérien des problèmes posés en Tunisie et au Maroc où l'établissement français est relativement faible et récent. Le « fait français » ne peut être éliminé en Algérie et le rêve d'une disparition subite de la France est puéril. Mais, inversement, il n'y a pas de raisons non plus pour que neuf millions d'Arabes vivent sur leur terre comme des hommes oubliés : le rêve d'une masse arabe annulée à jamais, silencieuse et asservie, est lui aussi délirant. Les Français sont attachés sur la terre d'Algérie par des racines trop anciennes et trop vivaces pour qu'on puisse penser les en arracher. Mais cela ne leur donne pas le droit, selon moi, de couper les racines de la culture et de la vie arabes. J'ai défendu toute ma vie (et vous le savez, cela m'a coûté d'être exilé de mon pays) l'idée qu'il fallait chez nous de vastes et profondes réformes. On ne l'a pas cru, on a poursuivi le rêve de la puissance qui se croit toujours éternelle et oublie que l'histoire marche toujours et ces réformes, il les faut plus que jamais. Celles que vous indiquez représentent en tout cas un premier effort, indispensable, à entreprendre sans tarder, à la seule condition qu'on ne le rende pas impossible en le noyant d'avance dans le sang français ou dans le sang arabe.

Mais dire cela aujourd'hui, je le sais par expérience, c'est se porter dans le « no man's land » entre deux armées, et prêcher au milieu des balles que la guerre est une duperie et que le sang, s'il fait parfois avancer l'histoire, la fait avancer vers plus de barbarie et de misère encore. Celui qui, de tout son cœur, de toute sa peine, ose crier ceci, que peut-il espérer entendre en réponse, sinon les rires et le fracas multiplié des armes ? Et pourtant, il faut le crier et puisque vous vous proposez de le faire, je ne puis vous laisser entreprendre cette action folle et nécessaire sans vous dire ma solidarité fraternelle.

Oui, l'essentiel est de maintenir, si restreinte soit-elle, la place du dialogue encore possible ; l'essentiel est de ramener si légère, si fugitive qu'elle soit, la détente. Et pour cela, il faut que chacun de nous prêche l'apaisement aux siens. Les massacres inexcusables des civils français entraînent d'autres destructions aussi stupides, opérées sur la personne et les biens du peuple arabe. On dirait que des fous, enflammés de fureur, conscients du mariage forcé dont ils ne peuvent se délivrer, ont décidé d'en faire une étreinte mortelle. Forcés de vivre ensemble, et incapables de s'unir, ils décident au moins de mourir ensemble. Et chacun, par ses excès renforçant les raisons, et les excès, de l'autre, la tempête de mort qui s'est abattue sur notre pays ne peut que croître jusqu'à la destruction générale. Dans cette surenchère incessante, l'incendie gagne, et demain l'Algérie sera une terre de ruines et de morts que nulle force, nulle puissance au monde, ne sera capable de relever dans ce siècle.

Il faut donc arrêter cette surenchère et là se trouve notre devoir, à nous, Arabes et Français, qui refusons de nous lâcher les mains. Nous, Français, devons lutter pour empêcher que la répression ose être collective et pour que la loi française garde un sens généreux et clair dans notre pays ; pour rappeler aux nôtres leurs erreurs et les obligations d'une grande nation qui ne peut, sans déchoir, répondre au massacre xénophobe par un déchaînement égal ; pour activer enfin la venue des réformes nécessaires et décisives qui relanceront la communauté franco-arabe d'Algérie sur la route de l'avenir. Vous, Arabes, devez de votre côté montrer inlassablement aux vôtres que le terrorisme, lorsqu'il tue des populations civiles, outre qu'il fait douter à juste titre de la maturité politique d'hommes capables de tels actes, ne fait de surcroît que renforcer les éléments anti-arabes, valoriser leurs arguments, et fermer la bouche à l'opinion libérale française qui pourrait trouver et faire adopter la solution de conciliation.

On me répondra, comme on vous répondra, que la conciliation est dépassée, qu'il s'agit de faire la guerre et de la gagner. Mais vous et moi savons que cette guerre sera sans vainqueurs réels et qu'après comme avant elle, il nous faudra encore, et toujours, vivre ensemble, sur la même terre. Nous savons que nos destins sont à ce point liés que toute action de l'un entraîne la riposte de l'autre, le crime entraînant le crime, la folie répondant à la démence, et qu'enfin, et surtout, l'abstention de l'un provoque la stérilité de l'autre. Si vous autres, démocrates arabes, faillissez à votre tâche d'apaisement, notre action à nous, Français libéraux, sera d'avance vouée à l'échec. Et si nous faiblissons devant notre devoir, vos pauvres paro-

les seront emportées dans le vent et les flam-
mes d'une guerre impitoyable.

Voilà pourquoi ce que vous voulez faire me
trouve si solidaire, mon cher Kessous. Je vous
souhaite, je nous souhaite bonne chance. Je
veux croire, à toute force, que la paix se lèvera
sur nos champs, sur nos montagnes, nos rivages
et qu'alors enfin, Arabes et Français, réconci-
liés dans la liberté et la justice, feront l'effort
d'oublier le sang qui les sépare aujourd'hui. Ce
jour-là, nous qui sommes ensemble exilés dans
la haine et le désespoir, retrouverons ensemble
une patrie.

L'ALGÉRIE
DÉCHIRÉE [1]

1. Cette série d'articles a paru dans *l'Express* d'octobre 1955 à janvier 1956. Elle reprend et résume les arguments et la position que j'ai exposés dans le même journal de juillet 1955 à février 1956.

L'ABSENTE

Beaucoup de monde au Palais-Bourbon depuis trois jours ; une seule absente : l'Algérie. Les députés français, appelés à se prononcer sur une politique algérienne, ont mis cinq séances à ne pas se prononcer sur trois ordres du jour. Quant au gouvernement, il s'est montré d'abord farouchement déterminé à ne rien définir avant que l'Assemblée ne se soit prononcée. Puis, non moins résolument, il s'est décidé à demander, pour son absence de politique, la confiance d'une Chambre qui cherche dans le dictionnaire le sens des mots dont elle se sert. La France, on le voit, continue. Mais, derrière elle, l'Algérie meurt.

On voudrait ne pas accabler des hommes qui se débattent avec nos institutions comme Gilliatt avec la pieuvre gluante. Mais l'heure n'est pas à l'indulgence. L'ordre du jour, pour l'Algérie, c'est le sang. Les trois votes de l'Assemblée vont se payer par de nouvelles morts.

Aux bavardages répond le hurlement solitaire des égorgés, au maniement du dictionnaire celui des armes.

Mais qui pense au drame des rappelés, à la solitude des Français d'Algérie, à l'angoisse du peuple arabe ? L'Algérie n'est pas la France, elle n'est même pas l'Algérie, elle est cette terre ignorée, perdue au loin, avec ses indigènes incompréhensibles, ses soldats gênants et ses Français exotiques, dans un brouillard de sang. Elle est l'absente dont le souvenir et l'abandon serrent le cœur de quelques-uns, et dont les autres veulent bien parler, mais à condition qu'elle se taise.

Les leçons les plus récentes ne servent-elles donc à rien ? Les solutions qu'on pouvait envisager avant le 20 août sont déjà dépassées. Les élections nécessaires, et possibles à l'époque, ne s'imaginent plus sans un cessez-le-feu. Le fossé entre les deux populations s'accentue, les extrémistes s'affrontent dans une surenchère de destructions. Seule une politique ferme, clairement définie par un gouvernement et immédiatement mise en œuvre, pourrait éviter le pire. Mais non ! L'opposition, d'un même élan, accable le gouvernement et félicite le fonctionnaire qui exécute les ordres de ce même gouvernement. Ainsi, la modération impuissante ne cesse de servir les extrêmes et notre histoire continue d'être ce dialogue dément entre des paralytiques et des épileptiques.

Pourtant une chance demeure. Elle est dans une libre confrontation, au cours d'une rencontre décisive, des forces qui sont en présence. Seule, cette franche explication pourrait renverser quelques-unes des barrières qui séparent les Français d'Algérie aussi bien des Arabes que des métropolitains. Et si le dictionnaire et les ordres du jour empêchent notre personnel politique de s'y résoudre, préparons-la du moins autant qu'il sera possible. Je voudrais y contribuer, pour ma part, dans les prochains jours, quelle que soit la difficulté de définir aujourd'hui une position équitable pour tous. Mais qu'importe après tout que les mots manquent ou trébuchent, s'ils parviennent, fugitivement du moins, à ramener parmi nous l'Algérie exilée et la mettre, avec ses plaies, à un ordre du jour dont enfin nous n'ayons pas honte.

LA TABLE RONDE

On ne règle pas les problèmes politiques avec de la psychologie. Mais sans elle, on est assuré de les compliquer. Le sang suffit en Algérie à séparer les hommes. N'y ajoutons pas la bêtise et l'aveuglement. Les Français d'Algérie ne sont pas tous des brutes assoiffées de sang, ni tous les Arabes des massacreurs maniaques. La métropole n'est pas peuplée seulement de démissionnaires ni d'officiers généraux nostalgiques. De même l'Algérie n'est pas la France, comme on s'obstine à le dire avec une superbe ignorance, et elle abrite pourtant plus d'un million de Français, comme on a trop tendance, d'un autre côté, à l'oublier. Ces simplifications ne font que durcir le problème. De surcroît, elles se justifient l'une l'autre, et ne se rencontrent que dans leur conséquence, qui est mortelle. Elles démontrent ainsi, jour après jour, mais par l'absurde, qu'en Algérie Français et

Arabes sont condamnés à vivre ou à mourir ensemble.

Naturellement, on peut choisir de mourir, dans l'excès du désespoir. Mais il serait impardonnable de se jeter à l'eau pour éviter la pluie, et de mourir à force de vouloir survivre. Voilà pourquoi l'idée d'une table ronde où se rencontreront à froid les représentants de toutes les tendances, depuis les milieux de la colonisation jusqu'aux nationalistes arabes, me paraît toujours valable. Il n'est pas bon, en effet, que les hommes vivent seuls, ou dans la solitude des factions. Il n'est pas bon de rester confrontés trop longtemps à ses haines ou son humiliation, ni même à ses rêves. Le monde d'aujourd'hui est celui de l'ennemi invisible ; le combat y est abstrait et c'est pourquoi rien ne l'éclaire ni ne l'adoucit. Voir l'autre, et l'entendre, peut donner un sens au combat, et peut-être aussi le rendre vain. L'heure de la table ronde sera l'heure des responsabilités.

Mais à la condition que cette réunion se fasse loyalement et dans la clarté. En ce qui concerne la loyauté, elle n'est pas en notre pouvoir. Je me garderai par principe de la remettre à des gouvernants. Mais c'est un fait qu'elle est aujourd'hui dans leurs mains et c'est pourquoi l'inquiétude est dans nos cœurs. Il ne faut pas du moins que cette table ronde soit utilisée à l'intérieur d'un nouveau plan de marchandages impuissants, destinés à maintenir au pouvoir des hommes qui ont apparemment choisi le métier de politicien pour n'avoir pas de politique.

Reste la clarté, et nous pouvons alors faire quelque chose pour elle. C'est pourquoi je traiterai en plusieurs articles des simplifications dont j'ai parlé, en présentant à chaque partenaire les raisons que ses adversaires lui opposent. Mais l'objectivité n'est pas la neutralité. L'effort de compréhension n'a de sens que s'il risque d'éclairer une prise de parti. Je prendrai donc parti pour finir. Et, une fois de plus, disons-le tout de suite, contre le désespoir, puisque, en Algérie, aujourd'hui, le désespoir, c'est la guerre.

LA BONNE CONSCIENCE

Entre la métropole et les Français d'Algérie, le fossé n'a jamais été plus grand. Pour parler d'abord de la métropole, tout se passe comme si le juste procès, fait enfin chez nous à la politique de colonisation, avait été étendu à tous les Français qui vivent là-bas. À lire une certaine presse, il semblerait vraiment que l'Algérie soit peuplée d'un million de colons à cravache et à cigare, montés sur Cadillac.

Cette image d'Épinal est dangereuse. Englober dans un mépris général, ou passer sous silence avec dédain, un million de nos compatriotes, les écraser sans distinction sous les péchés de quelques-uns, ne peut qu'entraver, au lieu de favoriser, la marche en avant que l'on prétend vouloir. Car cette attitude se répercute naturellement sur celle des Français d'Algérie. À l'heure présente, en effet, l'opinion de la majorité d'entre eux, et je prie le lecteur métropo-

litain d'en apprécier la gravité, est que la
France métropolitaine leur a tiré dans le dos.

J'essaierai de montrer une autre fois, à l'intention des Français d'Algérie, l'excès d'un pareil sentiment. Mais il n'empêche qu'il existe et
que les Français de là-bas, réunis dans un amer
sentiment de solitude, ne se séparent que pour
dériver vers des rêves de répression criminelle
ou de démission spectaculaire. Or, ce dont nous
avons le plus besoin en Algérie, aujourd'hui,
c'est d'une opinion libérale qui puisse précipi-
ter une solution avant que tout le pays soit figé
dans le sang. C'est cela, au moins, qui devrait
nous forcer à des distinctions nécessaires pour
établir, dans un esprit de justice, les responsabilités réciproques de la colonie et de la métropole.

Ces distinctions, après tout, sont bien faciles.
80 % des Français d'Algérie ne sont pas des colons, mais des salariés ou des commerçants. Le
niveau de vie des salariés, bien que supérieur
à celui des Arabes, est inférieur à celui de la
métropole. Deux exemples le montreront. Le
salaire minimum interprofessionnel garanti est
fixé à un taux nettement plus bas que celui des
zones les plus défavorisées de la métropole. De
plus, en matière d'avantages sociaux, un père
de famille de trois enfants perçoit à peu près
7 200 francs contre 19 000 en France. Voilà les
profiteurs de la colonisation.

Et pourtant ces mêmes petites gens sont les premières victimes de la situation actuelle. Ils ne figurent pas aux petites annonces de notre presse, pour l'achat de propriétés provençales ou d'appartements parisiens. Ils sont nés là-bas, ils y mourront, et voudraient seulement que ce ne soit pas dans la terreur ou la menace, ni massacrés au fond de leurs mines. Faut-il donc que ces Français laborieux, isolés dans leur bled et leurs villages, soient offerts au massacre pour expier les immenses péchés de la France colonisatrice ? Ceux qui pensent ainsi doivent d'abord le dire et ensuite, selon moi, aller s'exposer eux-mêmes en victimes expiatoires. Car ce serait trop facile, et si les Français d'Algérie ont leurs responsabilités, ceux de France ne doivent pas oublier les leurs.

Qui, en effet, depuis trente ans, a naufragé tous les projets de réforme, sinon un Parlement élu par les Français ? Qui fermait ses oreilles aux cris de la misère arabe, qui a permis que la répression de 1945 se passe dans l'indifférence, sinon la presse française dans son immense majorité ? Qui enfin, sinon la France, a attendu, avec une dégoûtante bonne conscience, que l'Algérie saigne pour s'apercevoir enfin qu'elle existe ?

Si les Français d'Algérie cultivaient leurs préjugés, n'est-ce pas avec la bénédiction de la métropole ? Et le niveau de vie des Français, si insuffisant qu'il fût, n'aurait-il pas été moindre sans la misère de millions d'Arabes ? La France entière s'est engraissée de cette faim, voilà la vérité. Les seuls innocents sont ces jeunes gens que, précisément, on envoie au combat.

Les gouvernements successifs de la métropole appuyés sur la confortable indifférence de la presse et de l'opinion publique, secondés par la complaisance des législateurs, sont les premiers et les vrais responsables du désastre actuel. Ils sont plus coupables en tout cas que ces centaines de milliers de travailleurs français qui se survivent en Algérie avec des salaires de misère, qui, trois fois en trente ans, ont pris les armes pour venir au secours de la métropole et qui se voient récompensés aujourd'hui par le mépris des secourus. Ils sont plus coupables que ces populations juives, coincées depuis des années entre l'antisémitisme français et la méfiance arabe, et réduites aujourd'hui, par l'indifférence de notre opinion, à demander refuge à un autre État que le français.

Reconnaissons donc une bonne fois que la faute est ici collective. Mais n'en tirons pas l'idée d'une expiation nécessaire. Car cette idée risquerait de devenir répugnante dès l'instant où les frais de l'expiation seraient laissés à d'autres. En politique, du reste, on n'expie rien. On répare et on fait justice. Une grande, une éclatante réparation doit être faite, selon moi,

au peuple arabe. Mais par la France tout entière et non avec le sang des Français d'Algérie.
Qu'on le dise hautement, et ceux-ci, je le sais,
ne refuseront pas de collaborer, par-dessus
leurs préjugés, à la construction d'une Algérie
nouvelle.

LA VRAIE DÉMISSION

Le fossé qui sépare l'Algérie de la métropole, j'ai dit que celle-ci pouvait aider à le combler en renonçant aux simplifications démagogiques. Mais les Français d'Algérie peuvent y
aider aussi en surmontant leurs amertumes en
même temps que leurs préjugés.

Les accusations mutuelles ou les procès hai-
neux ne changent rien à la réalité qui nous
étreint tous. Qu'ils le veuillent ou non, les
Français d'Algérie sont devant un choix. Ils
doivent choisir entre la politique de reconquête
et la politique de réformes. La première signifie
la guerre et la répression généralisée. Mais la
seconde, selon certains Français d'Algérie, serait une démission : cette opinion n'est pas seulement une simplification, elle est une erreur et
qui peut devenir mortelle.

Pour une nation comme la France, il est
d'abord une forme suprême de démission qui
s'appelle l'injustice. En Algérie, cette démis-

sion a précédé la révolte arabe et explique sa naissance si elle ne justifie pas ses excès.

Approuver les réformes, d'autre part, ce n'est pas, comme on le dit odieusement, approuver le massacre des populations civiles, qui reste un crime. C'est au contraire s'employer à épargner le sang innocent, qu'il soit arabe ou français. Car il est certainement répugnant d'escamoter les massacres des Français pour ne mettre l'accent que sur les excès de la répression. Mais on n'a le droit de condamner les premiers que si l'on refuse, sans une concession, les seconds. Sur ce point du moins, et justement parce qu'il est le plus douloureux, il me semble que l'accord devrait se faire.

Enfin, et nous sommes là au cœur du problème, le refus des réformes constitue la vraie démission. Réflexe de peur autant que d'indignation, il marque seulement un recul devant la réalité. Les Français d'Algérie savent mieux que personne, en effet, que la politique d'assimilation a échoué. D'abord parce qu'elle n'a jamais été vraiment entreprise, et ensuite parce que le peuple arabe a gardé sa personnalité qui n'est pas réductible à la nôtre.

Ces deux personnalités, liées l'une à l'autre par la force des choses, peuvent choisir de s'associer, ou de se détruire. Et le choix en Algérie n'est pas entre la démission ou la reconquête, mais entre le mariage de convenances ou le mariage à mort de deux xénophobies.

En refusant de reconnaître la personnalité arabe, l'Algérie française irait alors contre ses propres intérêts. Car le refus des réformes reviendrait seulement à favoriser contre le peuple arabe, qui a des droits, et contre ses militants clairvoyants, qui ne nient pas les nôtres, l'Égypte féodale et l'Espagne franquiste qui n'ont que des appétits. Ceci serait la vraie démission et je ne puis croire que les Français d'Algérie, dont je connais le réalisme, n'aperçoivent pas la gravité de l'enjeu.

Plutôt que d'accuser sans trêve la métropole et ses faiblesses, mieux vaudrait alors lui venir en aide pour définir une solution qui tienne compte des réalités algériennes. Ces réalités sont d'une part la misère et le déracinement arabes, et de l'autre le droit à la sécurité des Français d'Algérie. Si ces derniers veulent attendre qu'un plan bâti, entre deux visites électorales, par quatre politiciens bâillant d'ennui, devienne la charte de leur malheur, ils peuvent choisir la sécession morale.

Mais s'ils veulent préserver l'essentiel, bâtir une communauté algérienne qui, dans une Algérie pacifique et juste, fasse avancer Français et Arabes sur la route de l'avenir, alors qu'ils nous rejoignent, qu'ils parlent et proposent, avec la confiance que donne la vraie force !

Qu'ils sachent enfin, on voudrait le leur crier ici, que ce n'est pas la France qui tient leur destin en main, mais l'Algérie française qui décide aujourd'hui de son propre destin et de celui de la France.

LES RAISONS
DE L'ADVERSAIRE

Avant d'en venir, sinon aux solutions du problème algérien, du moins à la méthode qui les rendrait possibles, il me reste à m'adresser aux militants arabes. À eux aussi, je demanderai de ne rien simplifier et de ne pas rendre impossible l'avenir algérien.

Je sais que, du bord où je suis, ces militants ont l'habitude d'entendre des discours plus encourageants. Si j'étais d'ailleurs un combattant arabe et que des Français vinssent m'assurer de leur appui inconditionnel, il va sans dire que j'accueillerais avec empressement ce renfort. Mais Français de naissance et, depuis 1940, par choix délibéré, je le resterai jusqu'à ce qu'on veuille bien cesser d'être allemand ou russe : je vais donc parler selon ce que je suis. Mon seul espoir est que les militants arabes qui me liront voudront réfléchir au moins aux arguments d'un homme qui, depuis vingt ans, et bien avant que leur cause soit découverte par Paris, a défendu sur la terre algérienne, dans une quasi-solitude, leur droit à la justice.

Qu'ils fassent d'abord, et soigneusement, la différence entre ceux qui soutiennent la cause algérienne, parce qu'ils souhaitent, là comme ailleurs, la démission de leur propre pays, et ceux qui demandent réparation pour le peuple algérien parce qu'ils veulent que la France soit grande aussi de sa justice. L'amitié des premiers, je dirai seulement qu'elle a prouvé déjà son inconstance. Quant aux seconds qui sont et ont été plus sûrs, il faut seulement qu'on ne stérilise par leur difficile effort par des flots de sang ou par une intransigeance aveugle.

Les massacres de civils doivent être d'abord condamnés par le mouvement arabe de la même manière que nous, Français libéraux, condamnons ceux de la répression. Ou, sinon, les notions relatives d'innocence et de culpabilité qui éclairent notre action disparaîtraient dans la confusion du crime généralisé, dont la logique est la guerre totale. Déjà, depuis le 20 août, il n'y a plus d'innocents en Algérie, sauf ceux, d'où qu'ils viennent, qui meurent. En dehors d'eux, il n'y a que des culpabilités dont la différence est que l'une est très ancienne, l'autre toute récente.

Telle est, sans doute, la loi de l'histoire. Quand l'opprimé prend les armes au nom de la justice, il fait un pas sur la terre de l'injustice.

Mais il peut avancer plus ou moins et, si telle est la loi de l'histoire, c'est en tout cas la loi de l'esprit que, sans cesser de réclamer justice pour l'opprimé, il ne puisse l'approuver dans son injustice, au-delà de certaines limites. Les massacres des civils, outre qu'ils relancent les forces d'oppression, dépassent justement ces limites et il est urgent que tous le reconnaissent clairement. Sur ce point, j'ai une proposition à faire, qui concerne l'avenir et dont je parlerai bientôt.

Reste l'intransigeance. Les militants clairvoyants du mouvement nord-africain, ceux qui savent que l'avenir arabe est commandé par l'accession rapide des peuples musulmans à des conditions de vie modernes, semblent parfois dépassés par un mouvement plus aveugle qui, sans souci des besoins matériels immenses de masses tous les jours multipliées, rêve d'un panislamisme qui se conçoit mieux dans les imaginations du Caire que devant les réalités de l'histoire. Ce rêve, respectable en soi, est pourtant privé d'avenir immédiat. Il est donc dangereux. Quoi qu'on pense de la civilisation technique, elle seule, malgré ses infirmités, peut donner une vie décente aux pays sous-développés. Et ce n'est pas par l'Orient que l'Orient se sauvera physiquement, mais par l'Occident, qui, lui-même, trouvera alors nourriture dans la civilisation de l'Orient. Les travailleurs tunisiens ne s'y sont pas trompés et c'est derrière Bourguiba qu'ils se sont rangés avec l'U.G.T.T., non derrière Salah ben Youssef.

Les Français dont j'ai parlé ne peuvent en tout cas soutenir l'aile, extrémiste dans ses actions, rétrograde dans la doctrine, du mouvement arabe. Ils n'estiment pas l'Égypte qualifiée pour parler de liberté et de justice, ou l'Espagne pour prêcher la démocratie. Ils se prononcent pour la personnalité arabe en Algérie, non pour la personnalité égyptienne. Et ils ne se feront pas les défenseurs de Nasser sur fond de tanks Staline, ni de Franco prophète de l'Islam et du dollar. En bref, ils ne peuvent être les fossoyeurs de leurs convictions et de leur pays.

La personnalité arabe sera reconnue par la personnalité française, mais il faut pour cela que la France existe. C'est pourquoi nous, qui demandons aujourd'hui la reconnaissance de cette personnalité arabe, restons en même temps les défenseurs de la vraie personnalité française, celle d'un peuple qui, dans sa majorité, et seul parmi les grandes nations du monde, a le courage de reconnaître les raisons de l'adversaire qui présentement le combat à mort. Un tel pays, qu'il est alors révoltant d'appeler raciste à cause des exploits d'une minorité, offre aujourd'hui, malgré ses erreurs, payées au demeurant de trop d'humiliations, la meilleure chance d'avenir au peuple arabe.

PREMIER NOVEMBRE

L'avenir algérien n'est pas encore tout à fait compromis. Que chaque partie, nous l'avons vu, fasse l'effort d'examiner les raisons de l'adversaire et l'entente deviendra enfin possible. Cet accord inévitable, on voudrait maintenant y travailler en définissant ici ses conditions et ses limites. Mais disons d'abord, en ce jour anniversaire, qu'il serait bien inutile de tenter cet effort si, d'avance, on le rendait impossible par un redoublement de haine et de tueries.

Si les deux populations algériennes devaient, en effet, se dresser l'une contre l'autre, dans une sorte de délire xénophobe et tenter de se massacrer mutuellement, nulle parole ne saurait plus pacifier l'Algérie, comme nulle réforme ne pourrait plus la relever de ses ruines. Ceux, d'où qu'ils viennent et quelles que soient leurs raisons ou leur folie, qui réclament ces massacres, appellent de leurs vœux leur propre destruction. Les aveugles qui exigent la répression généralisée condamnent à mort en même temps d'innocents Français. Et de même ceux qui confient courageusement à de lointains micros d'ignobles appels au meurtre, préparent aussi le massacre des populations arabes.

Sur ce point au moins, la solidarité franco-arabe est totale et il est temps de le savoir. Selon qu'on le voudra, elle se traduira dans l'affreuse fraternité des morts inutiles, ou dans la solidarité des vivants attelés à la même tâche. Mais personne, mort ou vivant, ne pourra s'y soustraire.

Il me semble alors que personne, Français ou Arabe, ne peut désirer entrer dans la logique sanglante d'une guerre totale. Personne, ni d'un côté ni de l'autre, ne devrait se refuser à donner au conflit les limites qui l'empêcheront de dégénérer. Je propose donc que les deux parties en présence prennent, simultanément, l'engagement public de ne pas toucher, quelles que soient les circonstances, aux populations civiles. Cet engagement ne modifierait pour le moment aucune situation. Il viserait seulement à enlever au conflit son caractère inexpiable et à préserver, dans l'avenir, des vies innocentes.

Comment cette double déclaration pourrait-elle être provoquée ? Il serait souhaitable, pour des raisons évidentes, que l'initiative en revînt à la France. Le gouverneur général de l'Algérie, ou le gouvernement français lui-même, pourrait, sans rien engager d'essentiel, prendre cette initiative à son compte. Mais il est possible aussi qu'au nom de considérations purement politiques, les deux parties souhaitent une intervention moins politisée. Dans ce cas, l'initiative pourrait être prise par les chefs religieux des trois grandes communautés d'Algérie. Ceux-ci n'auraient pas à obtenir, ni à négocier un accord qui se situe au-delà de leur compétence, mais simplement à susciter, hors de toute équivoque, et sur un point précis, une double déclaration qui, sans vaine querelle sur le passé, engagerait l'avenir.

*

Ce n'est pas assez de dire qu'un tel engagement faciliterait la recherche d'une solution. Sans lui, il n'y a pas de solution possible. La grande différence entre la guerre de destruction et le simple divorce armé, c'est que la première ne mène à rien, qu'à plus de destruction encore, tandis que le second peut amener un jugement de réconciliation.

Au regard de ce jugement, l'engagement public que nous souhaitons constitue un préalable, non suffisant, mais nécessaire. Le repousser *a priori* reviendrait à reconnaître publiquement qu'on fait bon marché, d'abord, de son propre peuple, et qu'on ne vise ensuite à rien de plus précis qu'à une destruction stérile et illimitée. Je ne vois donc pas comment une des deux parties pourrait se refuser à une déclaration de pure et simple humanité, claire dans son expression, significative dans ses conséquences. Chacun, au contraire, peut la faire sans renoncer à aucune de ses raisons légitimes. Mais personne, il est vrai, ne pourra s'y dérober sans découvrir ses vrais desseins, dont il sera possible alors de tenir compte.

TRÊVE POUR LES CIVILS

Il n'y a pas de jour où le courrier, la presse, le téléphone même, n'apportent de terribles nouvelles d'Algérie. De toutes parts, les appels retentissent, et les cris. Dans la même matinée, voici la lettre d'un instituteur arabe dont le village a vu quelques-uns de ses hommes fusillés sans jugement, et l'appel d'un ami pour ces ouvriers français, tués et mutilés sur les lieux mêmes de leur travail. Et il faut vivre avec cela, dans ce Paris de neige et de boue, où chaque jour se fait plus pesant !

Si, du moins, une certaine surenchère pouvait prendre fin ! À quoi sert désormais de brandir les unes contre les autres les victimes du drame algérien ? Elles sont de la même tragique famille et ses membres aujourd'hui s'égorgent en pleine nuit, sans se reconnaître, à tâtons, dans une mêlée d'aveugles.

Cette tragédie d'ailleurs ne fait pas pleurer tout le monde. On en voit qui exultent, quoi-

que de loin. Ils sermonnent, mais sous leurs airs
graves, c'est toujours le même cri : « Allons !
encore plus fort ! Voyez comme celui-ci est
cruel, crevez-lui donc les yeux ! » Hélas, s'il est
encore en Algérie des hommes qui aient du retard dans cette course à la mort et à la ven-
geance, ils le rattraperont à toute allure. Bientôt l'Algérie ne sera peuplée que de meurtriers
et de victimes. Bientôt les morts seuls y seront
innocents.

*

Je sais : il y a une priorité de la violence. La
longue violence colonialiste explique celle de la
rébellion. Mais cette justification ne peut s'ap-
pliquer qu'à la rébellion armée. Comment condamner les excès de la répression si l'on ignore
ou l'on tait les débordements de la rébellion ?
Et inversement, comment s'indigner des massacres des prisonniers français si l'on accepte que
des Arabes soient fusillés sans jugement ? Chacun s'autorise du crime de l'autre pour aller
plus avant. Mais à cette logique, il n'est pas
d'autre terme qu'une interminable destruction.

« Il faut choisir son camp », crient les repus
de la haine. Ah ! je l'ai choisi ! J'ai choisi mon
pays, j'ai choisi l'Algérie de la justice, où Français et Arabes s'associeront librement ! Et je
souhaite que les militants arabes, pour préser-

ver la justice de leur cause, choisissent aussi de condamner les massacres des civils, comme les Français, pour sauver leurs droits et leur avenir, doivent condamner ouvertement les massacres répressifs.

Quand il sera démontré que les uns et les autres sont incapables de cet effort et de la lucidité qui leur permettrait d'apercevoir leurs intérêts communs, quand il sera démontré que la France, coincée entre ses machines à sous et ses appareils à slogans, est incapable de définir une politique à la fois réaliste et généreuse, alors seulement nous désespérerons. Mais cela n'est pas encore démontré, et nous devons lutter jusqu'au bout contre les entraînements de la haine.

*

Du moins, il faut faire vite. Chaque jour qui passe ruine un peu plus l'Algérie et voue ses masses à des années de misère supplémentaires. Chaque mort sépare un peu plus les deux populations ; demain, elles ne s'affronteront plus de part et d'autre d'un fossé, mais au-dessus d'une fosse commune. Quel que soit le gouvernement qui, dans quelques semaines, abordera le problème algérien, il risque alors de se trouver devant une situation sans issue.

Il revient donc aux Français d'Algérie eux-mêmes de prendre les initiatives nécessaires. Ils craignent Paris, je le sais, et ils n'ont pas toujours tort. Mais que font-ils pendant ce temps, que proposent-ils ? S'ils ne font rien, d'autres feront pour eux, et pourquoi se plaindraient-ils ensuite ? On me dit que certains d'entre eux, éclairés d'une brusque lumière, ont choisi de soutenir Poujade. Je ne veux pas encore croire à ce qui serait un suicide pur et simple. L'Algérie a besoin d'esprit d'invention, non de slogans périmés. Elle meurt, empoisonnée par la haine et l'injustice. Elle se sauvera seulement en neutralisant sa haine par une surabondance d'énergie créatrice.

*

C'est pourquoi il faut s'adresser une fois de plus aux Français d'Algérie pour leur dire : « Tout en défendant vos maisons et vos familles, ayez la force supplémentaire de reconnaître ce qui est juste dans la cause de vos adversaires, et de condamner ce qui ne l'est pas dans la répression. Soyez les premiers à proposer ce qui peut sauver l'Algérie et établir une loyale collaboration entre les fils différents d'une même terre ! » Aux militants arabes, il faut tenir le même langage. Au sein même de la lutte qu'ils soutiennent pour leur cause, qu'ils désavouent enfin le meurtre des innocents et qu'ils proposent, eux aussi, leur plan d'avenir !

À tous, il faut enfin crier trêve. Trêve jusqu'au moment des solutions, trêve au massacre des civils, de part et d'autre ! Tant que l'accusateur ne donne pas l'exemple, toutes les accusations sont vaines. Amis français et arabes, ne laissez pas sans réponse un des derniers appels pour une Algérie vraiment libre et pacifique, bientôt riche et créatrice ! Il n'y a pas d'autre solution, il n'y a aucune autre solution que celle dont nous parlons. Au-delà d'elle, il n'y a que mort et destruction. Des mouvements se constituent partout, je le sais, des hommes de courage, Arabes et Français, se regroupent. Rejoignez-les, aidez-les de toutes vos forces ! Ils sont le seul, et le dernier espoir de l'Algérie.

LE PARTI DE LA TRÊVE

Le temps approche où le problème algérien va exiger sa solution. Mais on ne voit pas pour autant que cette solution approche. Personne, apparemment, n'a de plan réel. On se bat sur la méthode et les moyens. Quant à la fin, tout le monde semble l'ignorer.

On me dit qu'une partie du mouvement arabe propose une forme d'indépendance qui signifierait, tôt ou tard, l'éviction des Français d'Algérie. Or, par leur nombre et l'ancienneté de leur implantation, ceux-ci constituent eux aussi un peuple, qui ne peut disposer de personne, mais dont on ne peut disposer non plus sans son assentiment.

Les éléments fanatiques de la colonisation, de leur côté, brisent les vitres au cri de « Répression », et renvoient après la victoire des réformes mal définies. Cela signifie pratiquement la suppression, au moins morale, d'une population arabe dont ni la personnalité, ni les droits ne peuvent être niés.

Ce sont là des doctrines de guerre totale. Ni dans un cas, ni dans l'autre, on ne peut parler d'une solution constructive. Je crois au contraire plus féconde la déclaration approuvée hier par le Congrès socialiste selon laquelle il ne peut y avoir en Algérie de négociation unilatérale. Les deux mots, en effet, sont contradictoires. Pour qu'il y ait négociation, il faut que chaque partie en présence tienne compte des droits de l'autre et concède quelque chose dans le sens de l'apaisement.

*

Deux éléments rendent difficile cette confrontation. C'est d'abord l'absence d'une structure politique algérienne que la colonisation a supprimée, tandis que les protectorats respectaient au moins fictivement les États tunisien et marocain. La deuxième difficulté tient à l'absence de doctrine française, conséquence de notre instabilité politique. Dans cette lutte qui n'oppose que des passions, personne ne peut se définir par rapport à la doctrine de l'adversaire. Dès lors, seules les surenchères s'expriment.

Nous ne pouvons pas refaire en un jour une structure politique en Algérie : c'est justement le problème qu'il s'agit de résoudre. Mais le gouvernement français, pour fixer sa doctrine, pourrait en même temps reconnaître la nécessité d'une négociation avec des interlocuteurs régulièrement élus et tracer clairement les limites de ce qu'il peut et ne peut pas accepter. L'une de ces limites paraît évidente aujourd'hui. Elle peut se symboliser ainsi : oui à la personnalité arabe en Algérie, non à la personnalité égyptienne. On ne trouvera d'ailleurs pas une majorité de Français pour accepter, au moment où leur pays chancelle, de prêter main-forte à cette étrange coalition qui réunit contre nous Madrid, Budapest et Le Caire. Sur ce point, le non doit être absolu. Mais d'autant plus fort sera ce non, d'autant plus ferme doit être l'engagement de faire justice au peuple arabe et d'arriver à un accord librement consenti avec lui.

*

Cela ne peut se faire sans une sérieuse évolution de l'opinion française en Algérie. Les noces sanglantes du terrorisme et de la répression n'y aideront pas. Les surenchères haineuses et démagogiques non plus, de quelque côté qu'elles viennent. Mais il faut que se rassemblent, au contraire, ceux qui sont encore capables d'un dialogue. Les Français qui, en Algérie, pensent qu'on peut faire coexister la présence française et la présence arabe dans un régime de libre association, qui croient que cette coexistence rendra justice à toutes les communautés algériennes, sans exception, et qui sont sûrs en tout cas qu'elle seule peut sauver, aujourd'hui de la mort et demain de la misère, le peuple de l'Algérie, ces Français-là doivent prendre enfin leurs responsabilités et prêcher l'apaisement pour rendre le dialogue à nouveau possible. Leur premier devoir est de demander de toutes leurs forces qu'une trêve soit instaurée en ce qui concerne les civils.

*

Cette trêve obtenue, le reste risque de suivre. Car l'association des personnes en Algérie n'est pas seulement nécessaire, elle est possible. Une justice claire et forte, l'union des différences, la marche confiante vers un avenir exemplaire, tel devrait être notre parti à tous, Arabes et Français. Le parti de la trêve deviendrait alors l'Algérie elle-même. Sachons du moins que l'enjeu de cette aventure est mortel. Je la vis quant à moi comme l'une de ces crises qui, à l'occasion de la guerre d'Espagne et de la défaite de 1940, ont transformé et orienté les hommes de ma génération en les obligeant à mesurer la décadence des formules politiques sur lesquelles ils vivaient. Si, par un excès de malheur, la coalition inconsciente de deux aveuglements amenait, dans un sens ou dans l'autre, la mort de l'Algérie que nous espérons, il nous faudrait alors, devant le constat de notre impuissance, procéder à une révision totale de nos engagements et de nos doctrines dans une histoire qui pour nous aurait changé de sens.

Mais l'espoir demeure que nous serons capables d'édifier, dans le sens qui est le nôtre, les structures historiques de demain. Les Français d'Algérie, ceux de la métropole, et le peuple arabe lui-même, ont la charge, difficile et exaltante, de cet espoir.

APPEL POUR
UNE TRÊVE CIVILE
EN ALGÉRIE [1]

1. Conférence prononcée à Alger, le 22 janvier 1956.

POUR UNE TRÊVE CIVILE
EN ALGÉRIE

Mesdames, Messieurs, malgré les précautions dont il a fallu entourer cette réunion, malgré les difficultés que nous avons rencontrées, je ne parlerai pas ce soir pour diviser, mais pour réunir. Car c'est là mon vœu le plus ardent. Ce n'est pas la moindre de mes déceptions – et le mot est faible – d'avoir à reconnaître que tout se ligue contre un tel vœu et que, par exemple, un homme, et un écrivain, qui a consacré une partie de sa vie à servir l'Algérie, s'expose, avant même qu'on sache ce qu'il veut dire, à se voir refuser la parole. Mais cela confirme en même temps l'urgence de l'effort d'apaisement que nous devons entreprendre. Cette réunion devait donc avoir lieu pour montrer au moins que toute chance de dialogue n'est pas perdue et pour que, du découragement général, ne naisse pas le consentement au pire.

J'ai bien parlé de « dialogue », ce n'est donc pas une conférence en forme que je suis venu prononcer. À vrai dire, dans les circonstances actuelles, le cœur me manquerait pour le faire. Mais il m'a paru possible, et j'ai même considéré qu'il était de mon devoir, de venir répercuter auprès de vous un appel de simple humanité, susceptible, sur un point au moins, de faire taire les fureurs et de rassembler la plupart des Algériens, français ou arabes, sans qu'ils aient à rien abandonner de leurs convictions. Cet appel, pris en charge par le comité qui a organisé cette réunion, s'adresse aux deux camps pour leur demander d'accepter une trêve qui concernerait uniquement les civils innocents.

J'ai donc seulement à justifier aujourd'hui cette initiative auprès de vous. Je vais tenter de le faire brièvement.

Disons d'abord, et insistons sur ce point, que par la force des choses, notre appel se situe en dehors de toute politique. S'il en était autrement, je n'aurais pas qualité pour en parler. Je ne suis pas un homme politique, mes passions et mes goûts m'appellent ailleurs qu'aux tribunes publiques. Je n'y vais que forcé par la pression des circonstances et l'idée que je me fais parfois de mon métier d'écrivain. Sur le fond du problème algérien, j'aurais d'ailleurs, à mesure que les événements se précipitent et que les méfiances, de part et d'autre, grandissent, plus de doutes, peut-être, que de certitudes à exprimer. Pour intervenir sur ce point, ma seule qualification est d'avoir vécu le malheur algérien comme une tragédie personnelle et de ne pas pouvoir, en particulier, me réjouir d'aucune mort, quelle qu'elle soit. Pendant vingt ans, avec de faibles moyens, j'ai fait mon possible pour aider à la concorde de nos deux peuples. On peut rire sans doute à la mine que prend le prêcheur de réconciliation devant la réponse que lui fait l'histoire en lui montrant les deux peuples qu'il aimait embrassés seulement dans une même fureur mortelle. Lui-même, en tout cas, n'est pas porté à en rire. Devant un tel échec, son seul souci ne peut plus être que d'épargner à son pays un excès de souffrances.

Il faut encore ajouter que les hommes qui ont pris l'initiative de soutenir cet appel n'agissent pas non plus à titre politique. Parmi eux se trouvent des membres de grandes familles religieuses qui ont bien voulu appuyer, selon leur plus haute vocation, un devoir d'humanité. Ou encore des hommes que rien ne destinait, ni leur métier, ni leur sensibilité, à se mêler aux affaires publiques. Pour la plupart, en effet, leur métier, utile par lui-même à la communauté, suffisait à remplir leur vie. Ils auraient pu rester à l'écart, comme tant d'autres, et compter les coups, quitte à exhaler de temps en temps quelques beaux accents mélancoliques. Mais ils ont pensé que bâtir, enseigner, créer, étaient des œuvres de vie et de générosité et qu'on ne pouvait les continuer au royaume de la haine et du sang. Une telle décision, si lourde de conséquences et d'engagements, ne leur donne aucun droit sauf un seul : celui de demander qu'on réfléchisse à ce qu'ils proposent.

Il faut dire enfin que nous ne voulons pas obtenir de vous une adhésion politique. À vouloir poser le problème sur le fond, nous risquerions de ne pas recevoir l'accord dont nous avons besoin. Nous pouvons différer sur les solutions nécessaires, et même sur les moyens d'y parvenir. Confronter de nouveau des positions cent fois définies, et déformées, serait, pour le moment, ajouter seulement au poids d'insultes et de détestations sous lequel étouffe et se débat notre pays.

Mais une chose du moins nous réunit tous qui est l'amour de notre terre commune, et l'angoisse. Angoisse devant un avenir qui se ferme un peu plus tous les jours, devant la menace d'une lutte pourrissante, d'un déséquilibre économique déjà sérieux, chaque jour aggravé, et qui risque de devenir tel qu'aucune force ne sera plus capable de relever l'Algérie avant longtemps.

C'est à cette angoisse que nous voulons nous adresser, même et surtout chez ceux qui ont déjà choisi leur camp. Car même chez le plus déterminé d'entre ceux-là, jusqu'au cœur de la mêlée, il y a une part, je le sais, qui ne se résigne pas au meurtre et à la haine, et qui rêve d'une Algérie heureuse.

C'est à cette part qu'en chacun de vous, Français ou Arabes, nous faisons appel. C'est à ceux qui ne se résignent pas à voir ce grand pays se briser en deux et partir à la dérive que, sans rappeler à nouveau les erreurs du passé, anxieux seulement de l'avenir, nous voudrions dire qu'il est possible, aujourd'hui, sur un point précis, de nous réunir d'abord, de sauver ensuite des vies humaines, et de préparer ainsi un climat plus favorable à une discussion enfin raisonnable. La modestie voulue de cet objectif, et cependant son importance, devrait, selon moi, lui valoir votre plus large accord.

De quoi s'agit-il ? D'obtenir que le mouvement arabe et les autorités françaises, sans avoir à entrer en contact, ni à s'engager à rien d'autre, déclarent, simultanément, que pendant toute la durée des troubles, la population civile sera, en toute occasion, respectée et protégée. Pourquoi cette mesure ? La première raison, sur laquelle je n'insisterai pas beaucoup est, je l'ai dit, de simple humanité. Quelles que soient les origines anciennes et profondes de la tragédie algérienne, un fait demeure : aucune cause ne justifie la mort de l'innocent. Tout au long de l'histoire, les hommes, incapables de supprimer la guerre elle-même, se sont attachés à limiter ses effets et, si terribles et répugnantes qu'aient été les dernières guerres mondiales, les organisations de secours et de solidarité sont parvenues cependant à faire pénétrer dans leurs ténèbres ce faible rayon de pitié qui empêche de désespérer tout à fait de l'homme. Cette nécessité apparaît d'autant plus urgente lorsqu'il s'agit d'une lutte qui, à tant d'égards, prend l'apparence d'un combat fratricide et où, dans la mêlée obscure, les armes ne distinguent plus l'homme de la femme, ni le soldat de l'ouvrier. De ce point de vue, quand bien même notre initiative ne sauverait qu'une seule vie innocente, elle serait justifiée.

Mais elle est justifiée encore par d'autres raisons. Si sombre qu'il soit, l'avenir algérien n'est pas encore tout à fait compromis. Si chacun, Arabe ou Français, faisait l'effort de réfléchir aux raisons de l'adversaire, les éléments, au moins, d'une discussion féconde pourraient se dégager. Mais si les deux populations algériennes, chacune accusant l'autre d'avoir commencé, devaient se jeter l'une contre l'autre dans une sorte de délire xénophobe, alors toute chance d'entente serait définitivement noyée dans le sang. Il se peut, et c'est notre plus grande angoisse, que nous marchions vers ces horreurs. Mais cela ne doit pas, ne peut pas se faire, sans que ceux d'entre nous, Arabes et

Français, qui refusent les folies et les destructions du nihilisme, aient lancé un dernier appel à la raison.

La raison, ici, démontre clairement que sur ce point, au moins, la solidarité française et arabe est inévitable, dans la mort comme dans la vie, dans la destruction comme dans l'espoir. La face affreuse de cette solidarité apparaît dans la dialectique infernale qui veut que ce qui tue les uns tue les autres aussi, chacun rejetant la faute sur l'autre, et justifiant ses violences par la violence de l'adversaire. L'éternelle querelle du premier responsable perd alors son sens. Et pour n'avoir pas su vivre ensemble, deux populations, à la fois semblables et différentes, mais également respectables, se condamnent à mourir ensemble, la rage au cœur.

Mais il y a aussi une communauté de l'espoir qui justifie notre appel. Cette communauté est assise sur des réalités contre lesquelles nous ne pouvons rien. Sur cette terre sont réunis un million de Français établis depuis un siècle, des millions de musulmans, Arabes et Berbères, installés depuis des siècles, plusieurs communautés religieuses, fortes et vivantes. Ces hommes doivent vivre ensemble, à ce carrefour de routes et de races où l'histoire les a placés. Ils le peuvent, à la seule condition de faire quelques pas les uns au-devant des autres, dans une confrontation libre. Nos différences devraient alors nous aider au lieu de nous opposer. Pour ma part, là comme partout, je ne crois qu'aux différences, non à l'uniformité. Et d'abord, parce que les premières sont les racines sans lesquelles l'arbre de liberté, la sève de la création et de la civilisation, se dessèchent. Pourtant, nous restons figés les uns devant les autres, comme frappés d'une paralysie qui ne se délivre que dans les crises brutales et brèves de la violence. C'est que la lutte a pris un caractère inexpiable qui soulève de chaque côté des indignations irrépressibles, et des passions qui ne laissent place qu'aux surenchères.

« Il n'y a plus de discussion possible », voilà le cri qui stérilise tout avenir et toute chance de vie. Dès lors, c'est le combat aveugle où le Français décide d'ignorer l'Arabe, même s'il sait, quelque part en lui-même, que sa revendication de dignité est justifiée, et l'Arabe décide d'ignorer le Français, même s'il sait, quelque part en lui-même, que les Français d'Algérie ont droit aussi à la sécurité et à la dignité sur notre terre commune. Enfermé dans sa rancune et sa haine, personne alors ne peut écouter l'autre. Toute proposition, dans quelque sens qu'elle soit faite, est accueillie avec méfiance, aussitôt déformée et rendue inutilisable. Nous entrons peu à peu dans un nœud inextricable d'accusations anciennes et nouvelles, de vengeances durcies, de rancunes inlassables se relayant l'une l'autre, comme dans ces vieux procès de famille où les griefs et les arguments s'accumulent pendant des générations, et à ce point que les juges les plus intègres et les plus humains ne peuvent plus s'y retrouver. La fin d'une pareille situation peut alors difficilement s'imaginer et l'espoir d'une association française et arabe, d'une Algérie pacifique et créatrice, s'estompe un peu plus chaque jour.

Si donc nous voulons maintenir un peu de cet espoir, jusqu'au jour du moins où la discussion s'engagera sur le fond, si nous voulons faire en sorte que cette discussion ait une chance d'aboutir, grâce à un effort réciproque de compréhension, nous devons agir sur le caractère même de cette lutte. Nous sommes trop ligotés par l'ampleur du drame et la complexité des passions qui s'y déchaînent, pour espérer obtenir dès maintenant l'arrêt des hostilités. Cette action supposerait en effet des prises de positions purement politiques qui, pour le moment, nous diviseraient peut-être plus encore.

Mais nous pouvons agir au moins sur ce que la lutte a d'odieux et proposer, sans rien changer à la situation présente, de renoncer seulement à ce qui la rend inexpiable, c'est-à-dire le meurtre des innocents. Le fait qu'une telle réunion mêlerait des Français et des Arabes, également soucieux de ne pas aller vers l'irréparable et la misère irréversible, lui donnerait des chances sérieuses d'intervenir auprès des deux camps.

Si notre proposition avait une chance d'être acceptée, et elle en a une, nous n'aurions pas seulement sauvé de précieuses vies, nous aurions restitué un climat propice à une discussion saine qui ne serait pas gâtée par d'absurdes intransigeances, nous aurions préparé le terrain à une compréhension plus juste et plus nuancée du problème algérien. En provoquant, sur un point donné, ce faible dégel, nous pourrions espérer un jour défaire, dans son entier, le bloc durci des haines et des folles exigences où nous sommes tous immobilisés. La parole serait alors aux politiques et chacun aurait le droit de défendre à nouveau ses propres convictions, et d'expliquer sa différence.

C'est là, en tout cas, la position étroite sur laquelle nous pouvons, pour commencer, espérer de nous réunir. Toute plate-forme plus vaste ne nous offrirait, pour le moment, qu'un champ de discorde supplémentaire. Nous devons être patients avec nous-mêmes.

Mais à cette action, à la fois limitée et capitale, je ne crois pas, après mûre réflexion, qu'aucun Français ni aucun Arabe puisse refuser son accord. Pour bien nous en persuader, il suffira d'imaginer ce qui adviendrait si cette entreprise, malgré les précautions et les limites étroites où nous la renfermons, échouait. Ce

qui arrivera, c'est le divorce définitif, la destruction de tout espoir, et un malheur dont
nous n'avons encore qu'une faible idée. Ceux
de nos amis arabes qui se tiennent aujourd'hui
courageusement auprès de nous dans ce « no
man's land » où l'on est menacé des deux côtés
et qui, déchirés eux-mêmes, ont déjà tant de
difficultés à résister aux surenchères, seront
forcés d'y céder et s'abandonneront à une fatalité qui écrasera toute possibilité de dialogue.
Directement ou indirectement, ils entreront
dans la lutte, alors qu'ils auraient pu être des
artisans de la paix. L'intérêt de tous les Français est donc de les aider à échapper à cette
fatalité.

Mais, de même, l'intérêt direct des modérés
arabes est de nous aider à échapper à une autre
fatalité. Car si nous échouons dans notre entreprise et faisons la preuve de notre impuissance,
les Français libéraux qui pensent qu'on peut
faire coexister la présence française et la présence arabe, qui croient que cette coexistence
rendra justice aux droits des uns comme des
autres, qui sont sûrs, en tout cas, qu'elle seule
peut sauver de la misère le peuple de ce pays,
ces Français auront la bouche fermée.

Au lieu de cette large communauté dont ils
rêvent, ils seront renvoyés alors à la seule communauté vivante qui les justifie, je veux dire la
France. C'est dire qu'à notre tour, par notre

silence ou de propos délibéré, nous entrerons dans la lutte. Pour illustrer cette double évolution, qu'il faut craindre et qui dicte l'urgence de notre action, je ne puis parler au nom de nos amis arabes. Mais je suis témoin qu'elle est possible en France. De même que j'ai senti ici la méfiance arabe envers tout ce qu'on lui propose, on peut sentir en France, vous devez le savoir, la montée du doute et d'une méfiance parallèle qui risquent de s'installer si les Français, déjà impressionnés par le maintien de la guerre du Rif après le retour du Sultan et par le réveil du fellaghisme en Tunisie, se voient contraints par le développement d'une lutte inexpiable, de penser que les buts de cette lutte ne sont pas seulement la justice pour un peuple, mais la réalisation, aux dépens de la France, et pour sa ruine définitive, d'ambitions étrangères. Le raisonnement que se tiendront alors beaucoup de Français est le symétrique de celui de la majorité des Arabes s'ils venaient, perdant tout espoir, à accepter l'inévitable. Ce raisonnement consistera à dire : « Nous sommes français. La considération de ce qu'il y a de juste dans la cause de nos adversaires ne nous entraînera pas à faire injustice à ce qui, dans la France et son peuple, mérite de survivre et de grandir. On ne peut pas nous demander d'applaudir à tous les nationalismes, sauf au français, d'absoudre tous les péchés, sauf ceux de la France. À l'extrémité où nous sommes et puisqu'il faut choisir, nous ne pouvons pas choisir autre chose que notre propre pays. »

Ainsi, par le même raisonnement, mais tenu en sens inverse, nos deux peuples se sépareront définitivement et l'Algérie deviendra pour longtemps un champ de ruines alors que le simple effort de la réflexion pourrait aujourd'hui encore changer la face des choses et éviter le pire.

Voilà le double danger qui nous menace, l'enjeu mortel devant lequel nous nous trouvons. Ou nous réussirons, sur un point au moins, à nous associer pour limiter les dégâts, et nous favoriserons ainsi une évolution satisfaisante, ou nous échouerons à nous réunir et à persuader, et cet échec retentira sur tout l'avenir. Voilà ce qui justifie notre initiative et décide de son urgence. C'est pourquoi mon appel sera plus que pressant. Si j'avais le pouvoir de donner une voix à la solitude et à l'angoisse de chacun d'entre nous, c'est avec cette voix que je m'adresserais à vous. En ce qui me concerne, j'ai aimé avec passion cette terre où je suis né, j'y ai puisé tout ce que je suis, et je n'ai jamais séparé dans mon amitié aucun des hommes qui y vivent, de quelque race qu'ils soient. Bien que j'aie connu et partagé les misères qui ne lui manquent pas, elle est restée pour moi la terre du bonheur, de l'énergie et de la création. Et je ne puis me résigner à la voir devenir pour longtemps la terre du malheur et de la haine.

Je sais que les grandes tragédies de l'histoire fascinent souvent les hommes par leurs visages horribles. Ils restent alors immobiles devant elles sans pouvoir se décider à rien, qu'à attendre. Ils attendent, et la Gorgone un jour les dévore. Je voudrais, au contraire, vous faire partager ma conviction que cet enchantement peut être rompu, que cette impuissance est une illusion, que la force du cœur, l'intelligence, le courage, suffisent pour faire échec au destin et le renverser parfois. Il faut seulement vouloir, non pas aveuglément, mais d'une volonté ferme et réfléchie.

On se résigne trop facilement à la fatalité. On accepte trop facilement de croire qu'après tout le sang seul fait avancer l'histoire et que le plus fort progresse alors sur la faiblesse de l'autre. Cette fatalité existe peut-être. Mais la tâche des hommes n'est pas de l'accepter, ni de se soumettre à ses lois. S'ils l'avaient acceptée aux premiers âges, nous en serions encore à la préhistoire. La tâche des hommes de culture et de foi n'est, en tout cas, ni de déserter les luttes historiques, ni de servir ce qu'elles ont de cruel et d'inhumain. Elle est de s'y maintenir, d'y aider l'homme contre ce qui l'opprime, de favoriser sa liberté contre les fatalités qui le cernent.

C'est à cette condition que l'histoire avance véritablement, qu'elle innove, qu'elle crée, en un mot. Pour tout le reste, elle se répète, comme une bouche sanglante qui ne vomit qu'un bégaiement furieux. Nous en sommes aujourd'hui au bégaiement et, pourtant, les plus larges perspectives s'ouvrent à notre siècle. Nous en sommes au duel au couteau, ou presque, et le monde marche à l'allure de nos avions supersoniques. Le même jour où nos journaux impriment l'affreux récit de nos querelles provinciales, ils annoncent le pool atomique européen. Demain, si seulement l'Europe s'accorde avec elle-même, des flots de richesses couvriront le continent et, débordant jusqu'ici, rendront nos problèmes périmés et nos haines caduques.

C'est pour cet avenir encore inimaginable, mais proche, que nous devons nous organiser et nous tenir les coudes. Ce qu'il y a d'absurde et de navrant dans la tragédie que nous vivons, éclate dans le fait que, pour aborder un jour ces perspectives qui ont l'échelle d'un monde, nous devons aujourd'hui nous réunir pauvrement, à quelques-uns, pour demander seulement, sans prétendre encore à rien de plus, que soit épargnée sur un point solitaire du globe une poignée de victimes innocentes. Mais puisque c'est là notre tâche, si obscure et ingrate qu'elle soit, nous devons l'aborder avec décision pour mériter un jour de vivre en hommes libres, c'est-à-dire comme des hommes qui refusent à la fois d'exercer et de subir la terreur.

L'AFFAIRE
MAISONSEUL[1]

---

1. Les deux textes suivants ont paru dans *Le Monde* en mai et juin 1956. Le 10 juillet 1957, une ordonnance de non-lieu reconnaissait l'innocence totale de Jean de Maisonseul.

LETTRE AU *MONDE*

Paris, le 28 mai 1956.

Monsieur le directeur,

Je viens d'apprendre avec une stupéfaction indignée l'arrestation à Alger de mon ami Jean de Maisonseul. Je me suis jusqu'ici obligé au silence sur l'affaire algérienne afin de ne pas ajouter au malheur français et parce que, finalement, je n'approuvais rien de ce qui se disait à droite comme à gauche. Mais il n'est pas possible de se taire devant d'aussi stupides et brutales initiatives qui, justement, portent un coup direct aux intérêts de la France en Algérie. Je connais Jean de Maisonseul depuis vingt ans. Il ne s'est jamais occupé de politique pendant tout ce temps. Ses deux seules passions étaient l'architecture et la peinture. Orléansville, par exemple, doit à ce grand architecte d'être relevée de ses ruines. Il construisait en somme l'Algérie pendant que d'autres la détruisaient

C'est tout récemment que, devant la tragédie d'un pays qu'il aimait par-dessus tout, il a cru devoir prêter l'appui de son nom et de son action au projet de trêve civile qui était le mien, dont le principe a été approuvé successivement par MM. Soustelle, Lacoste et Mollet, et qui revenait, sans interpréter ni modifier l'actuelle situation, à obtenir que soient préservés au moins les femmes, les vieillards et les enfants, français ou arabes. Il ne s'agissait là de rien qui puisse ressembler de près ni de loin à une négociation ni même à un simple « cessez-le-feu », mais seulement d'un ensemble de dispositions purement humanitaires que personne jusqu'ici n'a eu l'impudence de critiquer. Le texte de mon appel a d'ailleurs été rendu public, et personne à ma connaissance n'a jugé son objet scandaleux ni ses intentions criminelles. L'« organisation » dont parle la dépêche d'agence n'est rien d'autre que le comité qui a pris en charge cet appel et, fort des encouragements reçus, a tenté de le faire aboutir dans des conditions de plus en plus désespérées. Nos services de sécurité n'ont certainement pas eu de peine à découvrir cette « organisation », dont l'existence était de notoriété publique.

Jean de Maisonseul s'est occupé activement de ce comité. C'est un abus de mots et de pouvoir que de lui prêter, à partir de là, des relations avec des partis ou des tendances qui n'ont jamais eu accès à ce comité, plus encore de lui prêter des intentions de négociations en vue d'un « cessez-le-feu » ou pour l'établissement d'une république algérienne indépendante. On croit rêver en lisant de pareilles bêtises.

Je lis aussi que Maisonseul aurait adhéré à la Fédération des Français libéraux. Il n'est pas le seul dans ce cas, et cette Fédération ayant, selon ce qu'on m'a dit, déclaré ses desseins et déposé ses statuts, il n'est pas pendable d'y adhérer. Arrêter les libéraux et seulement parce qu'ils le sont, c'est décréter que seuls les manifestants du 6 février ont la parole en Algérie. Si cela est, je prie le président Mollet de nous le faire savoir et d'approuver publiquement cette politique qui veut que soient accusés d'esprit de capitulation tous ceux qui n'insultent pas le président du gouvernement français. Quant à moi, si je suis fermement opposé à toutes les sortes de capitulations, je ne le suis pas moins à la politique des ultras d'Algérie, qui représente à mes yeux une autre sorte de démission, dont la responsabilité est infinie. Cette position était exactement celle de Jean de Maisonseul.

Si son activité en faveur de victimes innocentes, françaises et arabes, en Algérie, a suffi au contraire à le faire inculper, il faudra de toute nécessité m'arrêter aussi : cette activité est et sera la mienne. En bonne logique, il faudra d'ailleurs arrêter encore les représentants de la Croix-Rouge, ainsi que MM. Mollet et Lacoste, qui ont eu connaissance de ce projet. Le président Mollet en particulier m'a fait transmettre, il y a seulement un mois, une adhésion personnelle, qu'il qualifiait lui-même de chaleureuse, à l'action de ce comité. Ces félicitations, il est vrai, tiendront frais dans sa cellule à mon ami emprisonné. Il s'en consolera en sachant que dans le honteux traitement qui lui est fait la solidarité de ses amis ne lui manquera pas. Personne au gouvernement ni ailleurs n'est en mesure de donner des leçons de patriotisme à ce Français courageux. Et je témoigne qu'il n'a jamais manqué à la fidélité qu'il devait à son pays, même et surtout dans ce qu'il faisait. Son arrestation au contraire et les confusions grossièrement calculées dont on l'entoure sont un véritable sabotage de l'avenir français en Algérie. L'état-major fellagha doit bien rire aujourd'hui. Et il aura raison. Ces brutalités aveugles ne compenseront point les faiblesses incroyables de notre diplomatie. Mais elles s'uniront à elles pour le plus grand dommage du pays.

Je laisse cependant à nos gouvernants la responsabilité de leur politique et de leur police. La seule chose qui m'intéresse est la libération de Jean de Maisonseul. J'userai à cet égard de toutes mes possibilités pour alerter l'opinion et réclamer cette libération. Il faudra ensuite obtenir réparation. Car il serait intolérable qu'on puisse impunément toucher, par le truchement d'une police déréglée, à l'honneur d'hommes de cette qualité.

P.-S. – Aux dernières nouvelles je lis qu'on reprocherait seulement à Jean de Maisonseul des « imprudences » et que les poursuites engagées contre lui ont une portée limitée. Je répète que ces « imprudences », qui sont des actes de courage civique, et qui ne portaient nulle atteinte aux intérêts français, ont été connues et approuvées des milieux officiels. Quant à la portée restreinte des poursuites, elle accroît mon indignation. Car ce qui n'a pas de limites, hélas ! c'est le dommage fait à un homme irréprochable, dont le nom a été livré à l'opinion publique, sur les ondes et en première page des journaux, avec des commentaires révoltants. Je répète qu'il reviendra à tous les hommes libres d'attaches partisanes d'exiger une réparation immédiate.

GOUVERNEZ !

Une semaine après l'arrestation de Jean de Maisonseul il ne reste rien des accusations lancées au hasard contre lui, et exploitées sans délai par nos diplômés en trahison. M Robert Lacoste aurait déclaré que l'affaire avait été déclenchée à son insu, et les milieux gouvernementaux seraient, quant à eux, à la fois navrés et surpris. Les pleins pouvoirs, on le voit, ont des passages à vide. S'il n'y a point de traître, en tout cas, ni de complot, que reste-t-il de tout ce bruit ? Rien sinon ceci, et je ne peux l'écrire sans rage et sans colère, que mon ami innocent est toujours en prison, qu'on l'y tient de surcroît au secret et que ses avocats n'ont pu communiquer avec lui. Autrement dit, ce n'est apparemment pas le gouvernement de la métropole qui gouverne en Algérie, ni même M. Robert Lacoste, mais n'importe qui.

À la vérité, nous le savions déjà et que l'autonomie de l'Algérie était depuis longtemps un fait. La souveraineté française est mise en cause là-bas par une double sécession ; il faut donc la défendre deux fois ou cesser d'en parler. Celui qui, en effet, se refuse à combattre sur deux fronts finit toujours par se faire tirer dans le dos. La preuve en est faite aujourd'hui, et il est certainement permis de dire qu'il y a eu complot en Algérie. Mais c'est un complot contre l'autorité de l'État et l'avenir français. Un bel amalgame, dans la répugnante tradition policière, a essayé de démontrer par intimidation que tout libéral était un traître, afin que la France ne s'avise pas de compter la justice généreuse au nombre de ses armes. Nos brillants conspirateurs ont seulement oublié qu'ils encourageaient en même temps les fellagha, en leur montrant que tant de Français, et parmi les plus honnêtes, étaient décidés à leur livrer de grand cœur l'Algérie. Mais je laisse à nos ministres le soin de tirer les conclusions nécessaires et de chercher les responsables. Je ne m'intéresse, quant à moi, qu'à la responsabilité du gouvernement lui-même.

Je veux bien croire en effet que celui-ci n'a aucune part dans l'arrestation arbitraire de Jean de Maisonseul : mais dès l'instant où il la connaît et la déplore, il porte la responsabilité de la détention arbitraire où est encore maintenu un innocent. À partir de là, rien n'excuse le gouvernement, et il faut porter à son compte chaque jour, chaque nuit et chaque heure de ce scandaleux emprisonnement. Ce n'est rien de regretter une injustice, il faut la réparer. Ce n'est pas tout que de frapper sur la table, il faut être obéi. Ou sinon on nous donnera une fois de plus le spectacle d'une autorité exténuée, traînée par les événements qu'elle prétend guider, privée de l'énergie de la paix comme de l'énergie de la guerre, et toujours violée au moment même où elle crie sa vertu.

Les amis de Jean de Maisonseul, ni lui-même, ne peuvent se suffire de regrets exprimés à la cantonade. La réputation et la liberté d'un homme ne se payent pas en condoléances ni en nostalgies. Ce sont des réalités charnelles, au contraire, et qui font vivre ou mourir. Je dirai même qu'entre les assauts d'éloquence à la Chambre et l'honneur d'un homme, l'urgence est à l'honneur, car l'intérêt du pays y est bien plus intéressé qu'au dialogue Dides-Cot. Il est temps en effet de le dire à des hommes qui parlent si souvent de restaurer l'esprit civique en France. Si rien n'est plus urgent sans doute, et si je ne suis pas le dernier à souffrir d'une certaine solitude française, il faut dire que cet esprit civique a disparu d'abord de nos milieux gouvernementaux, où le service public est en passe d'oublier sa dignité. L'entraînement, l'indifférence due à l'usure, la banalité des caractères, parfois, y ont fait prévaloir une conception diminuée du pouvoir qui traite alors l'innocent avec désinvolture et le coupable avec complaisance. L'État peut être légal, mais il n'est légitime que lorsque, à la tête de la nation, il reste l'arbitre qui garantit la justice et ajuste l'intérêt général aux libertés particulières. S'il perd ce souci, il perd son corps, il pourrit, il n'est plus rien qu'une anarchie bureaucratisée. Et la France devient comme ce ver qui se tortille à la recherche de sa tête.

Comment s'étonner alors des incroyables nouvelles qui nous parviennent ces derniers jours ? Jean de Maisonseul, accusé d'un crime dont on reconnaît dans le privé qu'il ne l'a pas commis, est jeté en prison pendant que nos aboyeurs, profitant de son impuissance, se dépêchent de l'insulter. Mais la France, dans le même moment, livre à l'Égypte et à la Syrie des armes dont nos jeunes rappelés mesureront tôt ou tard l'efficacité. Je le demande avec gravité, et sans esprit de polémique : qui trahit son pays de celui qui souffre en prison pour avoir voulu, sans jamais manquer à ses devoirs, épargner des vies innocentes au sein de la guerre, ou de ceux qui déclarent sans broncher qu'ils exécutent des marchés dont le sang français fera la ristourne ? Et toute la différence entre ces derniers et l'aspirant Maillot est-elle seulement que celui-ci n'a pas fait payer les armes qu'il livrait à l'ennemi ? Vraiment, oui, on croit rêver, apprenant cela, mais on désespère aussi et l'on finit par admettre qu'un gouvernement laisse toucher sans réagir à la liberté d'un homme qu'il sait innocent. Celui qui pour mieux faire la guerre arme l'adversaire peut bien juger que l'innocence d'un homme n'est jamais mieux récompensée que par la prison et la diffamation. La faiblesse aussi devient un délire, et qui explique tous les égarements.

Pour que cette faiblesse, cette dangereuse indifférence des mourants, ne s'installe pas définitivement à la tête de la nation, nous devons rappeler au gouvernement ses responsabilités. L'une de mes convictions est que les seuls hommes fermes sur leurs devoirs sont ceux qui ne cèdent rien sur leurs droits. À plus forte raison, ne pouvons-nous rien céder sur le droit de l'innocent emprisonné. La détention prolongée de Jean de Maisonseul est un scandale d'arbitraire dont le gouvernement, et lui seul désormais, doit être tenu pour responsable. Pour la dernière fois, avant d'en appeler directement à l'opinion publique, et de susciter sa protestation par tous les moyens, je demande au gouvernement responsable de libérer sans délai Jean de Maisonseul, et de lui consentir une réparation publique.

ALGÉRIE 1958

ALGÉRIE 1958

À l'intention de ceux qui me demandent encore quel est l'avenir qu'on peut souhaiter à l'Algérie, j'ai tenté de rédiger, avec le minimum de phrases et en restant au plus près de la réalité algérienne, un bref mémoire.

Si la revendication arabe, telle qu'elle s'exprime aujourd'hui, était entièrement légitime, il est probable que l'Algérie serait, à l'heure actuelle, autonome, avec le consentement de l'opinion française. Si cette opinion, bon gré mal gré, accepte pourtant la guerre et, même dans ses secteurs communistes ou communisants, se borne à des protestations platoniques, c'est, parmi d'autres raisons, parce que la revendication arabe reste équivoque. Cette ambiguïté, et les réactions confuses qu'elle suscite chez nos gouvernements et dans le pays, explique l'ambiguïté de la réaction française, les omissions, et les incertitudes dont elle se couvre. La première chose à faire est de mettre de la clarté dans cette revendication pour essayer de définir clairement la réponse qu'il convient de lui faire.

A. Ce qu'il y a de légitime dans la revendication arabe.

Elle a raison, et tous les Français le savent, de dénoncer et de refuser :

1°) Le colonialisme et ses abus, qui sont d'institution.

2°) Le mensonge répété de l'assimilation toujours proposée, jamais réalisée, mensonge qui a compromis toute évolution à partir de l'institution colonialiste. Les élections truquées de 1948 en particulier ont à la fois illustré le mensonge et découragé définitivement le peuple arabe. Jusqu'à cette date les Arabes voulaient tous être français. À partir de cette date, une grande partie d'entre eux n'a plus voulu l'être.

3°) L'injustice évidente de la répartition agraire et de la distribution du revenu (sous-prolétariat). Ces injustices se trouvant d'ailleurs irrémédiablement aggravées par une démographie galopante.

4°) La souffrance psychologique : attitude souvent méprisante ou désinvolte de beaucoup de Français, développement chez les Arabes (par une série de mesures stupides) du complexe d'humiliation qui est au centre du drame actuel.

Les événements de 1945 auraient dû être un signal d'alerte : l'impitoyable répression du Constantinois a accentué au contraire le mouvement antifrançais. Les autorités françaises ont estimé que cette répression mettait un point final à la rébellion. En fait, ils lui donnaient un signal de départ.

Il est hors de doute que la revendication arabe, sur tous ces points qui ont, en partie, résumé la condition historique des Arabes d'Algérie, jusqu'en 1948, est parfaitement légitime. L'injustice dont le peuple arabe a souffert est liée au colonialisme lui-même, à son histoire et à sa gestion. Le pouvoir central français n'a jamais été en état de faire régner totalement la loi française dans ses colonies. Il est hors de doute enfin qu'une réparation éclatante doit être faite au peuple algérien, qui lui restitue en même temps la dignité et la justice.

B. Ce qu'il y a d'illégitime dans la revendication arabe :

Le désir de retrouver une vie digne et libre, la perte totale de confiance dans toute solution politique garantie par la France, le romantisme aussi, propre à des insurgés très jeunes et sans culture politique, ont conduit certains combattants et leur état-major à réclamer l'indépendance nationale. Si bien disposé qu'on soit envers la revendication arabe, on doit cependant reconnaître qu'en ce qui concerne l'Algérie, l'indépendance nationale est une formule purement passionnelle. Il n'y a jamais eu encore de nation algérienne. Les Juifs, les Turcs, les Grecs, les Italiens, les Berbères, auraient autant de droit à réclamer la direction de cette nation virtuelle. Actuellement, les Arabes ne forment pas à eux seuls toute l'Algérie. L'importance et l'ancienneté du peuplement français, en particulier, suffisent à créer un problème qui ne peut se comparer à rien dans l'histoire. Les Français d'Algérie sont, eux aussi, et au sens fort du terme, des indigènes. Il faut ajouter qu'une Algérie purement arabe ne pourrait accéder à l'indépendance économique sans laquelle l'indépendance politique n'est qu'un leurre. Si insuffisant que soit l'effort français, il est d'une telle envergure qu'aucun pays, à l'heure actuelle, ne consentirait à le prendre en charge. Je renvoie pour cette question et les problèmes qu'elle soulève, à l'admirable livre de Germaine Tillion[1].

Les Arabes peuvent du moins se réclamer de

1. *Algérie 1957. Éditions de Minuit*

leur appartenance non à une nation[1], mais à une sorte d'empire musulman, spirituel ou temporel. Spirituellement cet empire existe, son ciment et sa doctrine étant l'Islam. Mais il existe aussi un empire chrétien, au moins aussi important, qu'il n'est pas question de faire rentrer comme tel dans l'histoire temporelle. Pour le moment, l'empire arabe n'existe pas historiquement, sinon dans les écrits du colonel Nasser, et il ne pourrait se réaliser que par des bouleversements mondiaux qui signifieraient la troisième guerre mondiale à brève échéance. Il faut considérer la revendication de l'indépendance nationale algérienne en partie comme une des manifestations de ce nouvel impérialisme arabe, dont l'Égypte, présumant de ses forces, prétend prendre la tête, et que, pour le moment, la Russie utilise à des fins de stratégie anti-occidentale. Que cette revendication soit irréelle n'empêche pas, bien au contraire, son utilisation stratégique. La stratégie russe qu'on peut lire sur toutes les cartes du globe consiste à réclamer le statu quo en Europe, c'est-à-dire la reconnaissance de son propre système colonial et à mettre en mouvement le Moyen-Orient et l'Afrique pour encercler l'Europe par le sud. Le bonheur et la liberté des peuples ara-

---

1. La « nation » syrienne, à peine sortie du protectorat français, est allée se fondre, comme sucre dans l'eau, dans la république arabe de Nasser.

bes ont peu de chose à voir dans cette affaire. Il suffira de penser à la décimation des Tchetchènes ou des Tatars de Crimée, ou à la destruction de la culture arabe dans les provinces anciennement musulmanes du Daghestan. La Russie se sert simplement de ces rêves d'empire pour servir ses propres desseins. On doit attribuer, en tout cas, à cette revendication nationaliste et impérialiste, au sens précis du mot, les aspects inacceptables de la rébellion arabe, et principalement le meurtre systématique des civils français et des civils arabes tués sans discrimination, et pour leur seule qualité de Français, ou d'amis des Français.

Nous nous trouvons donc devant une revendication ambiguë, que nous pouvons approuver dans sa source et dans quelques-unes de ses formulations, mais que nous ne pouvons accepter d'aucune manière dans certains de ses développements. L'erreur du gouvernement français depuis le début des événements a été de ne jamais rien distinguer, et par conséquent de ne jamais parler nettement, ce qui autorisait tous les scepticismes et toutes les surenchères dans les masses arabes. Le résultat a été de renforcer de part et d'autre les factions extrémistes et nationalistes.

La seule chance de faire avancer le problème est donc, aujourd'hui comme hier, le choix d'un langage net. Si les éléments du problème sont ·

1) La réparation qui doit être faite à huit millions d'Arabes qui ont vécu jusqu'à aujourd'hui sous une forme particulière d'oppression ;

2) Le droit à l'existence, et à l'existence dans leur patrie, de 1 200 000 autochtones français, qu'il n'est pas question de remettre à la discrétion de chefs militaires fanatiques ;

3) Les intérêts stratégiques qui conditionnent la liberté de l'Occident ;

le gouvernement français doit faire savoir nettement :

1) Qu'il est disposé à rendre toute la justice au peuple arabe d'Algérie, et à le libérer du système colonial ;

2) Qu'il ne cédera rien sur les droits des Français d'Algérie ;

3) Qu'il ne peut accepter que la justice qu'il consentira à rendre signifie pour la nation française le prélude d'une sorte de mort historique et, pour l'Occident, le risque d'un encerclement qui aboutirait à la kadarisation de l'Europe et à l'isolement de l'Amérique.

On peut donc imaginer une déclaration solennelle, s'adressant exclusivement au peuple arabe et à ses représentants (on remarquera que depuis le début des événements, aucun chef de gouvernement français, ni aucun gouverneur, ne s'est adressé directement au peuple arabe) et proclamant :

1) Que l'ère du colonialisme est terminée ; que la France, sans se croire plus pécheresse que les autres nations qui se sont formées et ont grandi dans l'histoire, reconnaît ses erreurs passées et présentes et se déclare disposée à les réparer ;

2) Qu'elle refuse cependant d'obéir à la violence, surtout sous les formes qu'elle prend aujourd'hui en Algérie ; qu'elle refuse, en particulier, de servir le rêve de l'empire arabe à ses propres dépens, aux dépens du peuple européen d'Algérie, et, finalement, aux dépens de la paix du monde ;

3) Qu'elle propose donc un régime de libre association où chaque Arabe, sur la base du plan Lauriol[1], trouvera réellement les privilèges d'un citoyen libre.

Bien entendu, les difficultés commencent alors. Mais, en tout cas, elles ne risquent guère d'être résolues si cette déclaration préalable n'est pas faite solennellement et dirigée, il faut le répéter, vers le peuple arabe par tous les moyens de diffusion dont une grande nation peut disposer. Cette déclaration serait sans doute entendue par les masses arabes, aujourd'hui lassées et désorientées, et d'autre part rassurerait une grande partie des Français d'Algérie, en les empêchant de pratiquer une oppo-

1. Voir plus loin.

sition aveugle aux réformes de structure qui sont indispensables.

Reste à définir la solution qui pourrait être offerte à la discussion.

L'ALGÉRIE NOUVELLE

Le seul régime qui, dans l'état actuel des choses, rendrait justice à toutes les parties de la population m'a longtemps paru celui de la fédération articulée sur des institutions analogues à celles qui font vivre en paix, dans la confédération helvétique, des nationalités différentes. Mais je crois qu'il faut imaginer un système encore plus original. La Suisse est composée de populations différentes qui vivent sur des territoires différents. Ses institutions visent seulement à articuler la vie politique de ses cantons. L'Algérie, au contraire, offre l'exemple rarissime de populations différentes imbriquées sur le même territoire. Ce qu'il faut associer sans fondre (puisque la fédération est d'abord l'union des différences) ce ne sont plus des territoires mais des communautés aux personnalités différentes. La solution de M. Marc

Lauriol, professeur de Droit à Alger, même si l'on n'approuve pas tous ses *attendus*, me paraît à cet égard particulièrement adaptée aux réalités algériennes, et propre à donner satisfaction au besoin de justice et de liberté de toutes les communautés.

Pour l'essentiel, elle unit les avantages de l'intégration et du fédéralisme. Elle propose, d'une part, de respecter les particularismes et, d'autre part, d'associer les deux populations à la gestion de leur intérêt commun. À cet effet, elle suggère de créer, dans un premier stade, deux sections au Parlement français : une section métropolitaine et une section musulmane. La première comprendrait les élus métropolitains et les élus français d'outre-mer, la seconde les musulmans de statut coranique. La règle de proportionnalité serait strictement respectée pour l'élection. On peut prévoir ainsi qu'il y aurait, dans un Parlement composé de six cents députés, une quinzaine de représentants français d'Algérie et une centaine d'élus musulmans. La section musulmane délibérerait à part pour toutes les questions intéressant les musulmans et elles seules. Le Parlement, en séance plénière, Français et musulmans compris, aurait compétence pour tout ce qui concerne les deux communautés (par exemple, la fiscalité et le budget), ou les deux communautés et la métropole (par exemple, la défense nationale). Les

autres matières, dans la mesure où elles n'inté-
ressent que la métropole (en droit civil particulièrement) demeureraient la compétence exclu-
sive de la section métropolitaine. Ainsi les lois
intéressant les seuls musulmans seraient l'œuvre des seuls élus musulmans ; les lois s'appliquant à tous seraient l'œuvre de tous ; les lois
s'appliquant aux seuls Français seraient l'œuvre
des seuls élus français. Toujours à ce stade premier enfin, le gouvernement serait responsable
devant chaque section ou devant les deux réunies, selon la nature des questions posées.

À un deuxième stade, après la période de ro-
dage nécessaire à une réconciliation générale, il
faudrait tirer les conséquences de cette innovation. En effet, contrairement à tous nos usages,
contrairement surtout aux préjugés solides hé-
rités de la Révolution française, nous aurions
consacré au sein de la république deux catégories de citoyens égales, mais distinctes. De ce
point de vue, il s'agit d'une sorte de révolution
contre le régime de centralisation et d'indivi-
dualisme abstrait, issu de 1789, et qui, à tant
d'égards, mérite à son tour le titre d'Ancien
Régime. M. Lauriol a raison en tout cas de déclarer qu'il ne s'agit de rien moins que de la
naissance d'une structure fédérale française qui
réalisera le véritable Commonwealth français[1].

1. Le Fédéralisme et l'Algérie (*La Fédération*, 9, rue
Auber, Paris).

De semblables institutions doivent par nature s'inscrire dans un système où viendraient s'harmoniser les pays du Maghreb comme ceux de l'Afrique noire. Une Assemblée régionale algérienne exprimerait alors la particularité de l'Algérie tandis qu'un Sénat fédéral, où l'Algérie serait représentée, détiendrait le pouvoir législatif pour tout ce qui (armée et affaires étrangères, par exemple) intéresserait la fédération dans son entier, et élirait un gouvernement fédéral responsable. Il importe de voir que ce système n'est pas incompatible non plus avec les institutions européennes qui pourraient naître à l'avenir.

Telle devrait être en tout cas la proposition française, qui serait alors maintenue de façon permanente jusqu'à l'obtention d'un cessez-le-feu. Ce cessez-le-feu est actuellement rendu plus difficile par l'intransigeance du F.L.N. Cette intransigeance est en partie spontanée et irréaliste, en partie inspirée et cynique. Dans ce qu'elle a de spontané, on peut la comprendre et essayer de la neutraliser par une proposition vraiment constructive. Dans ce qu'elle a d'inspiré, elle est inacceptable. À cet égard, le préalable de l'indépendance n'est rien d'autre que le refus de toute négociation et la provocation au pire. La France n'a pas d'autre possibilité ici que de maintenir sans trêve la proposition dont j'ai parlé, de la faire approuver par l'opinion internationale et par des secteurs de plus en plus larges de l'opinion arabe, et d'essayer de la faire entrer peu à peu dans la réalité.

*

Voilà ce qu'il est possible d'imaginer pour l'avenir immédiat. Cette solution n'est pas utopique au regard des réalités algériennes. Elle n'est rendue incertaine que par l'état de la société politique française. Elle suppose en effet :

1) Une volonté collective dans la métropole, et particulièrement l'acceptation d'une politique d'austérité dont le poids devrait être porté par les classes aisées (la classe des salariés porte déjà tout le poids d'une fiscalité scandaleusement injuste) ;

2) Un gouvernement qui réforme la Constitution (qui n'a été approuvée d'ailleurs que par une minorité de Français) et qui veuille ou puisse inaugurer la longue, ambitieuse et tenace politique qui aboutirait à la fédération française.

Ces deux conditions risquent de rendre sceptique un observateur objectif. Cependant la montée en France, et en Algérie, de nouvelles et considérables forces, en hommes et en économie, autorise l'espoir d'une renaissance. Dans ce cas, une solution comme celle qui vient d'être définie risque de prévaloir. Dans le cas

contraire, l'Algérie sera perdue et les conséquences terribles, pour les Arabes comme pour
les Français. C'est le dernier avertissement que
puisse formuler, avant de se taire à nouveau,
un écrivain voué, depuis vingt ans, au service
de l'Algérie.

DU MÊME AUTEUR

Aux Éditions Gallimard

L'ENVERS ET L'ENDROIT, *essai* (Folio Essais n° 41 ; Folioplus classiques n° 247).

NOCES, *essai* (Folio n° 16).

L'ÉTRANGER, *roman* (Folio n° 2, Folioplus classiques n° 40).

LE MYTHE DE SISYPHE, *essai* (Folio Essais n° 11).

LE MALENTENDU suivi de CALIGULA, *théâtre* (Folio n° 64 et Folio Théâtre n° 6 et n° 18 ; Folioplus classiques n° 233).

LETTRE À UN AMI ALLEMAND (Folio n° 2226).

LA PESTE, *récit* (Folio n° 42 et Folioplus classiques n° 119).

L'ÉTAT DE SIÈGE, *théâtre* (Folio Théâtre n° 52).

ACTUELLES : (Folio Essais n° 305 et n° 400)

  I – Chroniques 1944-1948.

  II – Chroniques 1948-1953.

  III – Chroniques algériennes 1939-1958.

LES JUSTES, *théâtre* (Folio n° 477, Folio Théâtre n° 111 et Folioplus classiques n° 185).

L'HOMME RÉVOLTÉ, *essai* (Folio Essais n° 15).

L'ÉTÉ, *essai* (Folio n° 16 et Folio 2 € n° 4388).

LA CHUTE, *récit* (Folio n° 10 et Folioplus classiques n° 125).

L'EXIL ET LE ROYAUME, *nouvelles* (Folio n° 78).

JONAS OU L'ARTISTE AU TRAVAIL, suivi de LA PIERRE QUI POUSSE, extraits de L'EXIL ET LE ROYAUME (Folio 2 € n° 3788)

RÉFLEXIONS SUR LA GUILLOTINE (Folioplus philosophie n° 136).

CORRESPONDANCE AVEC RENÉ CHAR (Folio n° 6274).

DISCOURS DE SUÈDE (Folio n° 2919).

CARNETS :

 I – Mai 1935-février 1942 (Folio n° 5617).

 II – Janvier 1942-mars 1951 (Folio n° 5618).

 III Mars 1951-décembre 1959 (Folio n° 5619).

JOURNAUX DE VOYAGE (Folio n° 5620).

CORRESPONDANCE AVEC JEAN GRENIER.

LA POSTÉRITÉ DU SOLEIL.

ALBERT CAMUS CONTRE LA PEINE DE MORT, écrits réunis, présentés et suivis d'un essai par Ève Morisi, préface de Robert Badinter.

CORRESPONDANCE AVEC ROGER MARTIN DU GARD.

CORRESPONDANCE AVEC LOUIS GUILLOUX.

CORRESPONDANCE AVEC FRANCIS PONGE.

CORRESPONDANCE AVEC ANDRÉ MALRAUX.

CONFÉRENCES ET DISCOURS (Folio n° 6372).

CORRESPONDANCE AVEC MARIA CASARÈS.

Adaptations théâtrales

LA DÉVOTION À LA CROIX de Pedro Calderón de la Barca (Folio Théâtre n° 148).

LES ESPRITS de Pierre de Larivey.

REQUIEM POUR UNE NONNE de William Faulkner (Folio Théâtre n° 170).

LE CHEVALIER D'OLMEDO de Lope de Vega.

LES POSSÉDÉS de Dostoïevski (Folio Théâtre n° 123).

UN CAS INTÉRESSANT de Dino Buzzati (Folio Théâtre n° 149).

Cahiers Albert Camus

I – LA MORT HEUREUSE, *roman* (Folio n° 4998).

II – Paul Viallaneix : *Le premier Camus*, suivi d'*Écrits de jeunesse d'Albert Camus*.

III – *Fragments d'un combat* (1938-1940) – Articles d'*Alger Républicain*.

IV – CALIGULA (version de 1941), *théâtre*.

V – *Albert Camus : œuvre fermée, œuvre ouverte ?* Actes du colloque de Cerisy (juin 1982).

VI – Albert Camus éditorialiste à *L'Express* (mai 1955-février 1956).

VII – LE PREMIER HOMME (Folio n° 3320).

VIII – Camus à *Combat*, éditoriaux et articles (1944-1947) (Folio Essais n° 582).

Bibliothèque de la Pléiade

ŒUVRES COMPLÈTES (4 volumes)

Dans la collection Écoutez lire

L'ÉTRANGER (1 CD).
LA PESTE (2 CD).

Dans la collection Quarto

ŒUVRES

En collaboration avec Arthur Koestler

RÉFLEXIONS SUR LA PEINE CAPITALE, *essai* (Folio n° 3609).

À l'Avant-Scène

UN CAS INTÉRESSANT, adaptation de Dino Buzzati, *théâtre* (Folio Théâtre n° 149).

Aux Éditions Indigènes

ÉCRITS LIBERTAIRES : 1948-1960.

Composition Nord Compo
Impression Novoprint
à Barcelone , le 23 octobre 2017
Dépôt légal : octobre 2017
1er dépôt légal dans la collection : septembre 2002.

ISBN 978-2-07-042272-2./Imprimé en Espagne.